Joe Vitale

the Key

La Chiave

La chiave mancante alla Legge di Attrazione
Il segreto per realizzare tutto ciò che vuoi

EDIZIONI
IL PUNTO
D'INCONTRO

Joe Vitale
The Key, la Chiave
Titolo originale: *The Key*
Traduzione di Gianpaolo Fiorentini
Copyright © 2008 by Hypnotic Marketing, Inc. All rights reserved.
This translation published under license.
© Edizioni Il Punto d'Incontro, 2008, per l'edizione italiana
Prima edizione originale pubblicata nel 2008 da John Wiley & Sons,
Inc., Hoboken, New Jersey
Prima edizione italiana pubblicata nel novembre 2008
Edizioni Il Punto d'Incontro s.a.s., Via Zamenhof 685, 36100 Vicenza
Telefono 0444239189, Fax 0444239266
www.edizionilpuntodincontro.it
Finito di stampare nel novembre 2008 presso la tipografia Grafiche
Busti, Via Strà, Colognola ai Colli (VR)

ISBN 978-88-8093-606-0

A Neville Goddard

Tu sei il capolavoro della tua vita, sei il Michelangelo della tua stessa vita. Il David che stai scolpendo sei tu.

— Joe Vitale, nel film *The Secret*

Indice

Il credo dell'ottimista

Prometti a *te stesso:*
Di essere così forte che niente potrà turbare la tua pace
   mentale.
Di augurare salute, felicità e prosperità a tutte le perso-
   ne che incontri.
Di far sentire a tutti i tuoi amici che in loro c'è qualcosa.
Di guardare il lato luminoso di tutte le cose e di fare in
   modo che il tuo ottimismo diventi realtà.
Di pensare solo il meglio, di impegnarti solo per il me-
   glio e di aspettarti solo il meglio.
Di essere felice del successo altrui come se fosse il tuo.
Di dimenticare gli errori del passato e di tendere verso
   maggiori conseguimenti futuri.
Di essere sempre allegro e di donare un sorriso a ogni
   creatura che incontri.
Di dedicare così tanto tempo al tuo miglioramento da
   non avere tempo per criticare gli altri.
Di essere troppo grande per albergare preoccupazioni,

troppo nobile per accogliere ira, troppo forte per provare paura e troppo felice per permettere che si creino problemi.

Di avere una buona opionione di te stesso e di proclamarlo al mondo, non con grandi parole, ma attraverso grandi azioni.

Di vivere confidando che il mondo sia dalla tua parte, finché segui sinceramente la tua parte migliore.

(Il 'Credo dell'ottimista' apparve per la prima volta nel 1912 in un libro di Christian D. Larson, *Your Forces and How to Use Them*. Una versione abbreviata viene attualmente usata da *Optimist International*, un'organizzazione a livello mondiale che ha lo scopo di creare cambiamenti positivi nel mondo).

Prefazione

Immaginate un lucchetto. È molto resistente e difficile da aprire. Questo lucchetto vi trattiene lì dove non vorreste essere. Tuttavia sentite che prima o poi potrete aprirlo e che allora avrete quella libertà di cui finora avete soltanto sentito parlare. Qual è il vostro sogno? Vivere nel luogo che preferite, godervi esattamente le cose che vorreste, avere le ricchezze che nel profondo sapete di poter avere, vivere nel modo in cui vorreste vivere e fare per gli altri quello che sapete di dover fare.

Tutto questo è chiuso da un robusto lucchetto. Finché non viene aperto, questo lucchetto vi tiene rinchiusi in una prigione psichica, un luogo tenebroso, una piccola cella, uno spazio angusto che uccide i sogni e opprime persone piene d'amore e intelligenza. È un lucchetto terribile. Riuscite a vederlo? Credo di sì...

Questo lucchetto è dentro la vostra mente: è un paradigma, un modo di pensare.

Ma il libro che avete in mano, *The Key - La Chiave*.

La chiave mancante alla Legge di Attrazione, Il segreto per realizzare tutto ciò che vuoi, vi spalancherà un universo di possibilità e di meraviglie. Risponderà alla tormentosa domanda sul perché non avete ancora l'abbondanza a cui sapete di avere diritto. Questo libro vi fornisce degli strumenti pratici, seri e testati per aprire questo lucchetto una volta per tutte.

Se cercate un libro che vi spieghi come far accadere le cose e se volete espandere la vostra coscienza, tenete con voi questo testo come se fosse un nuovo, meraviglioso amico. Divoratelo! Ma, soprattutto, usatelo per scoprire le parti di voi stessi che vi sono d'ostacolo e d'impedimento.

Da oltre quarant'anni aiuto persone e società ad aprire questo misterioso lucchetto. Ho letto migliaia di libri sull'argomento e ho passato decenni a studiare perché ci comportiamo nel modo in cui ci comportiamo, ma questo libro è una LETTURA D'OBBLIGO, dalla prima all'ultima pagina!

Conosco bene Joe Vitale. L'ho conosciuto mentre era ancora alla ricerca di questa misteriosa Chiave e l'ho visto mentre la scopriva. Ho visto come sono cambiati la sua vita e il suo mondo. L'aspetto più bello della scoperta di Joe è che ha preso nota di tutti i suoi passi. Come un astronomo, ha mappato il suo percorso per condividere queste meravigliose verità con voi e con tutti coloro che sono stanchi di restare rinchiusi nella loro prigione psichica.

Oggi, Joe Vitale è un maestro conosciuto a livello internazionale dei modi per liberare il vostro potenziale nascosto. Ho letto tutti i suoi libri, ma *The Key - La Chiave* è senza dubbio il migliore. In un linguaggio semplicissimo, Joe spiega concetti potenzialmente complessi in modo molto comprensibile e, cosa ancora più importante, facile da applicare. Questo libro rivoluzionerà il vostro modo di pensare, perché è proprio questo che fa Joe. Vi farà riflettere, ridere e (forse) piangere. Ma vi fornirà gli strumenti per vincere la forza di quell'orribile lucchetto e aprirlo.

Usate questo libro nel modo giusto e vi garantisco che cose strane e meravigliose incominceranno ad accadere nella vostra vita, con sorprendente regolarità.

Questo libro vi spalancherà un nuovo universo, perché contiene *La Chiave*.

— Bob Proctor, autore di *You Were Born Rich*
(www.BobProctor.com)

Ringraziamenti

Come per tutti gli altri miei libri, molte persone mi sono state vicine e mi hanno incoraggiato. Il primo della lista è Matt Holt, caro amico e caporedattore di John Wiley & Sons. Senza di lui, questo libro sarebbe rimasto solo un'idea. Nerissa, compagna e amore della mia vita, sempre presente per me e per i nostri figli, per darmi così il tempo di scrivere. Rhonda Byrne, creatrice del film *The Secret*, che ha fatto conoscere il mio lavoro a tutte le persone che sentivano il bisogno di un libro come questo. Suzanne Burns, la mia assistente, che si è incaricata di tutto il resto perché io potessi concentrarmi sulla scrittura.

I miei amici Bill Hibbler, Pat O'Bryan, Jillian Coleman-Wheeler, Craig Perrine e Cindy Cashman. Il combattente per la luce Mark Ryan, che ha sempre appoggiato i miei progetti. Victoria Schaefer, inestimabile amica e appoggio. Ringrazio per l'assistenza Joe Sugarman, Howard Wills, Kathy Bolden, Marc Gitterle, Scott Lewis, Jeff Sargent, John Roper, Rick e Mary Barrett, Roopa e

Deepak Chari, Will LaValley, Scott York, Mark Joyner e Ann Taylor. Grazie a Cyndi Smasal e a tutto il team di Miracle Coaching. Mark Weisser ha rinunciato alla sua lunga lista di impegni per occuparsi dell'editing della prima stesura.

Infine, sono grato al Divino per avermi concesso di fare quello che faccio. Se ho dimenticato qualcuno, scusatemi. Vi amo tutti.

The Key

La Chiave

Parte prima

La Chiave

Chiunque si sia seriamente impegnato in un lavoro scientifico di qualunque tipo sa che sull'entrata del tempio della scienza sono incise le parole: 'Devi avere fede'.

— MAX PLANCK, PREMIO NOBEL 1918 PER LA FISICA

Il segreto perduto

Sono le convinzioni a determinare ciò che ci accade. Non esistono cause esterne.

— David Hawkins, *I: Reality and Subjectivity*

Ammettetelo. Ci sono cose che avete sempre cercato di fare, di raggiungere, di avere, di ottenere o di risolvere, ma non ci siete mai riusciti.

Ci avete provato eccome! Avete letto decine di libri di auto-aiuto, avete visto film come *The Secret* (*Il segreto*) e *What the Bleep Do We Know?* (*Ma che bip sappiamo veramente?*), avete seguito corsi e seminari e chissà quante altre cose. Ma, quando si tratta di quella cosa (o di quelle cose), continuate a sbattere contro un muro.

Come mai? Perché alcune cose vi riescono facilmente e invece altre sono degli ostacoli insormontabili? La Legge dell'Attrazione funziona o non funziona? C'è *qualco-*

sa che funziona veramente?

E, dato che siamo in argomento, qual è il segreto perduto per attirare *tutto* ciò che volete?

Tutto ciò che avete nella vita, l'avete attirato voi. Comprese le cose brutte. L'avete attirato a livello inconscio. Perciò, diventando consapevoli dei modelli mentali alla base delle vostre esperienze, potete cambiarli e iniziare così ad attirare solo ciò che volete.

Quando vi sarete 'ripuliti' (vi spiegherò tra breve che cosa significa esattamente) dalle programmazioni mentali che vi impediscono di realizzarvi, potrete fare quelli che gli altri chiamano miracoli. Ecco alcuni esempi tratti dalla mia vita personale:

- Quando mi ripulii da quello che c'era dietro il mio problema di sovrappeso, persi oltre 30 chili, diventai socio di sei palestre e trasformai il mio corpo e la mia vita.
- Quando mi ripulii dalle convinzioni nascoste che mi impedivano di avere una macchina nuova, ne attirai dodici. Attualmente ne possiedo tre: due BMW e una scintillante auto sportiva con rifiniture artigianali, una Panoz Esperante GTLM che ho bat-

tezzato Francine.

- Quando mi ripulii dai motivi per cui avevo creato dei linfonodi potenzialmente mortali ai polmoni, i noduli divennero innocui.
- Quando mi ripulii dalle cause che mi avevano fatto diventare prima un senza tetto e poi uno scrittore che viveva in quasi totale povertà, diventai una celebrità di Internet, scrissi trenta bestseller e divenni una star di un film di successo, *The Secret*.

È così: ripulirvi dai vostri blocchi interiori è il segreto perduto per attirare tutto ciò che volete. Come potete sapere se avete bisogno di ripulirvi anche voi? Semplice, se vi siete fatti questa domanda, è probabile che non siate puliti. Comunque, c'è un modo semplicissimo per saperlo. Rispondete con sincerità alle seguenti domande:

- Nella vostra vita c'è un'area che vi dà continuamente problemi?
- Avete mai preso una decisione per l'anno nuovo e non l'avete rispettata?
- Siete stanchi di tutte le tecniche di auto-aiuto che non hanno funzionato?
- Non fate niente per ottenere ciò che desiderate?
- Sentite che c'è qualcosa che vi sta ostacolando?
- Avete visto il film *The Secret*, ma continuate a non riuscire ad attirare le cose che volete?

Se siete sinceri con voi stessi, sapete benissimo che c'è almeno un'area della vostra vita che sembra troppo difficile da riparare.

Un esempio è il sovrappeso. Avete provato ogni tipo di dieta e di esercizio fisico, ma i chili in più non se ne vanno o ritornano immediatamente. È come se aveste addosso una maledizione.

Oppure, potrebbero essere i rapporti. Tanti appuntamenti, tante relazioni, incontri online, forse vi siete anche sposati, ma l'amore non è mai durato. Qualcosa l'ha sempre ucciso.

O i soldi. Avete fatto vari lavori e nessuno vi ha mai soddisfatto. Vi affidate ai consigli degli esperti, avete riscritto chissà quante volte la storia della vostra vita, ma sembra che non riusciate a trovare la vostra vera vocazione. È come se il mondo si rifiutasse di aiutarvi nella realizzazione dei vostri sogni. Un continuo fallimento e una continua corsa affannosa per riuscire a pagare i vostri conti.

O la salute. Un terribile mal di schiena o qualcosa di molto peggio, un cancro o la distrofia muscolare. Forse un'allergia, una tosse perenne, l'asma. Di qualunque cosa si tratti, vi sembra che sia impossibile guarire. Lo vivete come un destino ineluttabile.

La sensazione comune a qualunque blocco è quella di sentirsi una vittima. Pensate che sì, il problema è vostro, ma la causa è esterna. È colpa del vostro capo, degli altri, del presidente, del governo, dei terroristi, dell'inquinamento, del surriscaldamento globale, del vostro DNA, dell'agenzia delle entrate o di Dio.

Qual è la soluzione?

Qual è la Chiave?

Ho sperimentato sulla mia pelle questo senso di blocco quando non avevo una casa e neppure da mangiare. Il mondo ce l'aveva con me, voleva escludermi. Provavo rabbia verso tutto e tutti, verso i miei genitori e il sistema, Dio incluso. Sentivo di non meritarmi tutto questo. Lottare per mangiare, poi per trovare un posto in cui vivere, poi per comprarmi una macchina, furono esperienze terribili e devastanti. Non poteva essere colpa mia. Io ero un bravo ragazzo, mi meritavo molto di più.

Sperimentai lo stesso blocco quando tentai di perdere peso. Ero obeso già da bambino, ero obeso da adolescente e avevo continuato a essere obeso da adulto. Mi odiavo. Accusavo i miei genitori per avermi fatto in quel modo. Li odiavo per come mi avevano allevato e nutrito. Odiavo gli istruttori della palestra, che non facevano altro che umiliarmi. Mi sentivo destinato a rimanere un grassone per sempre e non mi piaceva nemmeno un po'.

In entrambi questi casi avevo un problema ricorrente, ma non avevo mai pensato di essere io la causa. Incolpavo le circostanze esterne. È quello che facciamo quasi tutti quando ci troviamo di fronte a un muro e non riusciamo a superarlo. Pensiamo: 'Non sono io, è il muro'. Anche se tutte le altre aree della vita vanno bene, quando arriviamo a questa non siamo 'puliti' e non riusciamo a vedere una via d'uscita.

Questo libro vuole farvi sapere che una via d'uscita c'è.

Io la chiamo la Chiave.

La Chiave è il segreto perduto per attirare tutto ciò che desiderate. Lo dico con la massima sincerità. È vero, è reale. È il vostro biglietto vincente per la libertà.

Quando ero un senza tetto, sono stato costretto a mettere in discussione le mie convinzioni. Capii che la causa principale della mia infelicità e delle mie difficoltà era un'idea che mi ero messo in testa. Presi consapevolezza del fatto che stavo modellando la mia vita su quella di scrittori che erano finiti tutti suicidi. Volevo diventare anch'io uno scrittore come loro, perciò avevo pensato che miseria e disperazione dovevano far parte del mio curriculum. Poi, quando cambiai le mie convinzioni, iniziai ad attirare una realtà molto diversa. Attirai un lavoro, denaro e felicità. Oggi sono l'autore di decine di libri e probabilmente mi avete visto nei film *The Secret* e *The Opus*.

Che cos'era accaduto a quell'ostinato problema per il quale avevo sempre accusato gli altri?

La stessa cosa accadde con l'obesità. Oggi il mio peso è normale. Ho partecipato a sei concorsi di fitness e ho costruito una palestra tutta mia. Mi sono allenato con famosi bodybuilder, come Frank Zane.

Allora, dov'è andato a finire il problema della cui esistenza accusavo il mio DNA?

In entrambi i casi ho usato la Chiave per liberarmene.

Questo libro vi spiega come. È un manuale che vi insegna ad attirare i vostri sogni più sfrenati e fantastici, di qualunque genere.

Vi serve una cosa sola: la Chiave.

La Chiave

Avete chiesto inconsciamente tutto ciò che vi accade, e offrite agli altri le esperienze che essi chiedono inconsciamente.

— SUSAN SHUMSKY, *MIRACLE PRAYER*

Nei primi anni del '900, Wallace D. Wattles, autore di *The Science of Getting Rich*, scrisse in un libro meno conosciuto, *How to Get What You Want*, le seguenti parole:

> I fallimenti sono dovuti al fatto che consciamente pensiamo di essere capaci di fare determinate cose, ma inconsciamente siamo convinti di non essere in grado di farle. È più che probabile che la vostra mente inconscia sia piena di dubbi sulla vostra capacità di avere successo. Dovete rimuovere questi dubbi, altrimenti la mente rifiuterà di darvi il suo aiuto proprio quando ne avrete più bisogno.

Wattles si riferisce alla Chiave per attirare ciò che desiderate. Se la vostra mente conscia pensa di volere qualcosa, ma il vostro inconscio è convinto che non la meritiate (o qualunque altra convinzione limitante), non riuscirete a ottenerla. Al contrario, attirerete proprio ciò che pensate di non volere. La verità è che attirate ciò che il vostro inconscio ritiene giusto per voi. Per attirare ciò che volete davvero, la mente conscia e la mente inconscia devono essere d'accordo.

Susan Shumsky scrive in *Miracle Prayer*: "Le vostre convinzioni consce sono ciò che *pensate* di credere. Le vostre convinzioni inconsce sono ciò che credete *realmente*".

Ciò che oggi avete nella vita è ciò che inconsciamente avete chiesto.

La Chiave consiste nel 'ripulirvi' in modo da mettere d'accordo il conscio e l'inconscio. Nel mio libro *The Attractor Factor* 'ripulirsi' è il quarto passo della formula per attirare i miracoli. I cinque passi sono:

1. Capire ciò che non volete.
2. Scegliere ciò che volete.
3. Ripulirvi.
4. Sentirlo come già realizzato.
5. Lasciarvi andare quando agite in maniera ispirata.

Questi sono i cinque passi per raggiungere i vostri obiettivi e realizzare i vostri sogni. Se, pur mettendoli in pratica, continuate a sentirvi bloccati e frustrati perché non riuscite a ottenere ciò che volete, può darsi che non siate ancora completamente puliti. Può essere ancora in atto un conflitto interiore. Una parte di voi vuole quella certa cosa e un'altra parte non la vuole. Il vostro inconscio ha messo il veto su un desiderio conscio.

Anche dopo aver visto decine o centinaia di volte il film *The Secret*, alcune persone continuano a essere bloccate in qualche area della loro vita. Il motivo è che nutrono convinzioni opposte alle intenzioni consapevoli. È sufficiente ripulirvi della vostra convinzione limitante perché i risultati si manifestino quasi all'istante.

'Ripulirsi' significa sbarazzarsi degli ostacoli che impediscono la realizzazione dei vostri desideri. Io chiamo questi ostacoli 'contro-intenzioni'. Il modo migliore per capire che cosa sono le contro-intenzioni è ripensare a un proposito che avete fatto per l'anno nuovo, ad esempio: "Farò esercizio fisico tutti i giorni", "Smetterò di fumare", "Vivrò della mia arte", o qualunque altro proposito. Quando l'avete fatto, eravate mossi dalle migliori intenzioni. Eravate convinti di riuscirci.

E poi, cos'è successo?

Il giorno dopo è accaduto qualcosa che vi ha impedito di andare in palestra o avete dimenticato il proposito di perdere peso e vi siete abboffati di nuovo.

Le vostre contro-intenzioni hanno annullato le intenzioni consce.

Ripulirsi è quindi il processo di rimozione delle contro-intenzioni. Fatto ciò, potete fare, avere o essere tutto quello che volete.

Ripulirsi è il segreto perduto di tutti i programmi di auto-aiuto.

È la Chiave per attirare tutto ciò che desiderate.

Come funziona l'universo

Se questa mattina vi siete svegliati più sani che malati, siete molto più fortunati dei milioni di esseri umani che non arriveranno alla fine di questa settimana.
Se avete cibo nel frigorifero, abiti nell'armadio e un tetto sulla testa, siete più ricchi del 75 per cento della popolazione mondiale.
Se avete del denaro in banca o nel portafogli, fate parte di quel piccolo 8 per cento che si divide la ricchezza del mondo.
Se camminate a testa alta con un sorriso sul volto e siete grati per tutto questo, siete fortunati, perché tanti, anche se dovrebbero essere riconoscenti, non lo sono.

— Anonimo

Avete mai avuto un'idea che poi non avete messo in pratica? Avete inventato un nuovo giocattolo per bambini, un nuovo shampoo o un qualunque aggeggio utile a qualcuno? Avete realizzato la vostra idea? E se non l'avete realizzata, perché?

Ora osserviamo l'altra faccia della medaglia. Avete mai chiesto all'universo di fare qualcosa per voi, senza riuscire a ottenerla? Avete mai visualizzato qualcosa che poi non si è tradotta in realtà? Come mai?

Per capire la Chiave, lasciate che vi spieghi come vanno le cose tra voi e l'universo.

1. L'universo (chiamatelo pure Dio onnipotente, il Divino, la Divinità, la vita, zero, il Tao o come preferite) manda e riceve continuamente messaggi. Vi manda ispirazioni e da voi riceve richieste.
2. Questo dialogo viene filtrato attraverso il vostro sistema di credenze, che vi spinge a fare o a non fare una certa cosa.
3. Il risultato è la conseguenza di queste due premesse. Anche il modo in cui voi lo interpretate dipende dal vostro sistema di credenze.

Come illustra la Figura 1 (disegnata da Suzanne Burns), l'universo (il Divino, la vita o comunque vogliate chiamare questo potere indicibile) riceve le vostre richieste e vi manda i suoi messaggi. Come ho già detto, questa comunicazione passa attraverso il filtro del vostro sistema di credenze. Il risultato finale è quella che chiamate la vostra realtà. Cambiando le vostre credenze, le vostre convinzioni, cambierà anche la vostra realtà.

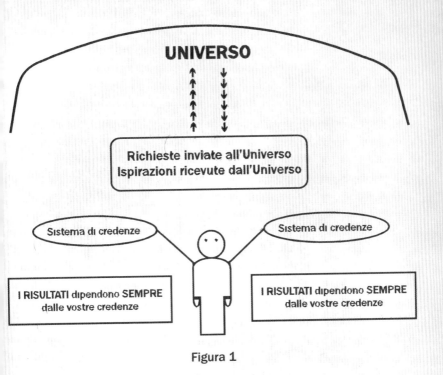

Figura 1

Ad esempio, l'idea di creare un nuovo oggetto è un dono che vi fa l'universo. Dopo aver avuto l'idea, la giudicate in base ai vostri parametri. "Non so proprio come realizzarla", "Come farei a ricavarne dei soldi?", "È probabile che qualcuno ci abbia già pensato prima di me". Tutti questi dubbi, giudizi e perplessità derivano dal vostro sistema di credenze e vi impediscono di passare all'azione. Il risultato è che non ne fate niente.

È molto probabile che in seguito qualcun altro produca l'oggetto che era venuto in mente a voi. Per questo dico sempre: "L'universo ama la rapidità". Il fatto è che l'universo manda la stessa idea a molte persone, sapendo che la maggior parte non ne farà niente. Il successo arride solo a quelli che passano all'azione.

E quando invece siete voi a chiedere aiuto all'universo? L'universo è sempre lì, pronto ad ascoltare e ad aiutare. Ma, anche quando cerca di aiutarvi, le vostre credenze si mettono in mezzo. Ad esempio potete chiedere all'universo di aiutarvi a trovare il partner ideale. L'universo vi ascolta e vi manda l'ispirazione di entrare a far parte di un certo gruppo, perché lì potrete trovare la persona che cercate. Ma voi vi convincete a non farlo, attraverso ragionamenti come: "Ho già frequentato gruppi del genere, ma inutilmente", "Anche lì non mi vorrà nessuno, perché sono troppo..." (riempite voi i puntini). L'universo sta cercando di aiutarvi, ma una volta di più le vostre convinzioni vi impediscono di raggiungere il risultato desiderato.

È importante capire che la maggior parte delle vostre convinzioni sono inconsce. Alcune sono consce, ma per la maggior parte sono inconsce o subconsce. Le più potenti sono quelle seppellite più in profondità. Sono queste convinzioni che creano il programma in base a cui agite. Per ripulirvi, dovete sbarazzarvi di queste convinzioni profonde, solo allora il rapporto tra voi e l'universo diventerà più simile a quello illustrato nella Figura 2.

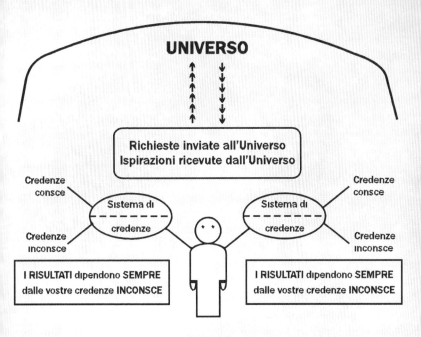

Figura 2

Riassumendo: vivete in un universo creato dal vostro sistema di credenze. Per cambiare i risultati dovete cambiare le vostre credenze inconsce. È qui che dovete ripulirvi. Lo ripeto: ripulirsi è il segreto perduto per ottenere tutto ciò che volete.

È questa la Chiave.

La Legge dell'Attrazione

*Niente può impedire all'uomo che ha il giusto
atteggiamento mentale di raggiungere i suoi
scopi; niente al mondo può aiutare un uomo che
ha un atteggiamento mentale sbagliato.*

— THOMAS JEFFERSON

Per capire a fondo la Chiave, dovete conoscere una delle leggi meno note dell'universo. Quando vi siete ripuliti di tutte le credenze limitanti, potete utilizzare consapevolmente la Legge dell'Attrazione. State già utilizzando questa legge per attirare le cose nella vostra vita, ma lo state facendo inconsciamente.

Questa legge venne esposta per la prima volta nel 1906 da William Walker Atkinson nel suo libro *Thought Vibration, or The Law of Attraction in the Thought World*. Atkinson scriveva così:

Parliamo sempre della legge di gravità, ma ne ignoriamo un'altra altrettanto fantastica: la LEGGE DELL'ATTRAZIONE NEL MONDO DEL PENSIERO. Conosciamo perfettamente la legge universale che tiene assieme gli atomi da cui è formata la materia, che attira i corpi sulla Terra e mantiene in orbita i pianeti, ma siamo ciechi a quella *legge potentissima che ci fa attirare le cose che vogliamo o che temiamo, che crea la nostra vita o la distrugge*.

Se comprendiamo che il Pensiero è una forza, una manifestazione dell'energia, dotato di un potere di attrazione simile a quello di una calamita, inizieremo a capire il perché di molte cose che ci sono sempre sembrate oscure. Nessuno studio è in grado di ripagare altrettanto bene chi vi si applica come lo studio del funzionamento di questa potentissima legge del mondo del Pensiero: la Legge dell'Attrazione.

Oggi conosciamo bene questa legge. È descritta nel libro e nel film *The Secret*, e nel mio libro *The Attractor Factor*. Anche due miei amici, Jerry e Esther Hicks, l'hanno spiegata in un libro intitolato *The Law of Attraction*. È una legge fondamentale della psicologia, che dice che otteniamo ciò a cui pensiamo di più. Il problema è che la maggior parte delle persone concentra la mente su ciò che non vuole, e il risultato è che ottiene proprio quello.

È una legge che non ammette eccezioni. So che vi piacerebbe che ne avesse, ma non ne ha. Tutto ciò che avete nella vostra vita vi è arrivato a causa della Legge dell'Attrazione, senza eccezioni. Nemmeno una. È una legge vera e propria.

Ve la spiegherò attraverso la mia storia personale.

Alla fine di gennaio del 2007, ebbi degli improvvisi dolori all'addome. Andai al pronto soccorso e mi tolsero l'appendice. La convalescenza fu rapida e mi rimisi perfettamente, ma una mia lettrice mi mandò questa e-mail:

> Mi dispiace per la sua appendicite, ma sono davvero perplessa. Come ha potuto il geniale autore di *The Attractor Factor* attrarre un'esperienza così penosa? In base a quello che scrive nei suoi libri, è stato lei ad attirarla, ma perché? Immagino che abbia sbagliato qualcosa... Appena l'avrà scoperto, la prego di rivelarci il suo errore. Così potremo evitarlo anche noi.

Era una buona domanda. Questa fu la mia risposta:

> Io la vedo così:
> Sì, ho attirato io quell'esperienza.
> Siamo noi ad attirare tutto quello che ci accade.
> Nessuna eccezione.
> Il fatto è che attiriamo inconsciamente.
> A livello consapevole non sappiamo che cosa stiamo

facendo. È come se nella vita procedessimo a casaccio. Me compreso.

Quando facevo ricerche per un mio libro, *Zero Limits*, scoprii che la mente conscia non è in grado di ricevere più di 15 'unità' di informazione alla volta. Al contrario, l'inconscio può ricevere miliardi di unità di informazione, quindi è un sistema operativo molto più ampio.

Il punto è risvegliarsi, diventare totalmente consapevoli. Vogliamo ripulire l'inconscio da tutte le programmazioni negative o limitanti per entrare nel flusso divino che porta con sé magie e miracoli.

Ma come riuscirci?

A metà gennaio avevo co-guidato un seminario chiamato 'zero limiti', che è anche il titolo del mio libro. Il dottor Ihaleakala Hew Len guidò la maggior parte del seminario e di quell'avventura all'interno della nostra anima. Il tema era la rimozione dei blocchi che impediscono il collegamento con la sorgente.

Capii che tutti dobbiamo fare *grandi pulizie*, me compreso.

Incominciai a farle, e continuo tuttora.

Dopo quel seminario, il mio computer fisso smise di funzionare. Lo stesso fece il portatile e lo stesso accadde ai miei siti web.

La cosa curiosa era che, durante quel weekend, era tutto spento, eppure tutto smise di funzionare.

Contemporaneamente mi assalirono i dolori all'addome.

Il lunedì sera andai al pronto soccorso e mi asportarono l'appendice.

Che cos'era accaduto?

Avevo deciso che il mio corpo e la mia vita dovevano ripulirsi da tutte le debolezze e le cose che non andavano.

Pensavo alla cosa come a una vacanza forzata.

Come mi fece notare Nerissa, avevo corso a velocità esagerata: un progetto e un viaggio dopo l'altro senza concedermi quasi mai (d'accordo, mai) un momento di pausa.

Il mio inconscio decise che dovevo fermarmi. Prima fermò i miei computer, poi anche me, e così mi mandò in vacanza forzata.

Ma il punto non è questo.

Si noti che:

Non ho mai considerato quell'esperienza come negativa.

Non ho mai provato un senso di rabbia o di fastidio e non ho mai provato paura o altre emozioni negative.

Anzi, ero curioso.

Guardavo lo svolgersi degli eventi come se fosse un film interattivo di cui ero il protagonista.

Non auguro un'appendicectomia d'urgenza a nessuno, ma in fondo non fu un'esperienza così drammatica.

Per tutto il tempo applicai il metodo 'Ti amo' (metodo numero 5) e le frasi collegate.

Insomma, continuai il lavoro di pulizia.

E tutto andò bene.

Devo confessare che, solo qualche settimana prima, avevo pensato che era davvero strano che a 53 anni non fossi mai stato ricoverato in ospedale e non avessi subito nemmeno un'operazione.

Avevo anche inserito nel mio blog una comunicazione intitolata 'Io non esisto più' (che cambiai immediatamente in 'Io sono vivo e sto bene').

Il mio inconscio decise di farmi fare quell'esperienza.

Indirizzando lì il mio pensiero, iniziai ad attirarla. Di fatto, la richiesi.

Allora, sono stato io ad attirare quell'intervento chirurgico?

Assolutamente sì.

L'insegnamento è: mantenete una continua vigilanza sulla vostra mente. Ma, dato che non potete essere consapevoli di tutto quello che fa il vostro sistema operativo più ampio, il lavoro che dovete fare è quello di ripulirvi.

La domanda è: come?

Niente scappatoie

*Le critiche non sono mai amore. Non vogliono
il bene degli altri, ma solo creare dubbi e
insicurezze nelle persone a cui sono rivolte.*

— KAREN KASEY, *CHANGE YOUR MIND
AND YOUR LIFE WILL FOLLOW*

A volte guardo la serie televisiva *Boston Legal*. In un episodio William Shatner, che interpreta l'avvocato Denny Crain, una figura tutta incentrata su di sé, siede a occhi chiusi e tenta di attirare Rachel Welch. La sua intenzione era quella di attirare la pace nel mondo, ma ha pensato che una 'cosetta più piccola' come attirare la Welch fosse più semplice.

Mi sono divertito a guardare alla TV questa parodia del film *The Secret* e della Legge dell'Attrazione.

Ma è appunto una parodia.

Alla fine della puntata, Crain attira una delle più grandi attrici comiche di sempre, Phyllis Diller.

Crain è confuso e pensa che la Legge dell'Attrazione non funzioni.

'Li citerò in giudizio', mormora tra sé e sé.

Perché ha fallito?

Perché non è riuscito ad attirare la bellissima donna a cui pensava?

Ecco la spiegazione.

In primo luogo, l'avvocato si concentra con tutta la sua forza stringendosi la testa tra le mani come se avesse una feroce emicrania. Non c'è gioia sul suo volto. La Legge dell'Attrazione funziona solo se *sentite* che ciò che desiderate si è già realizzato. Non basta pensarci. L'avvocato della serie televisiva ha sbagliato tutto.

Secondo, non fa niente. Non passa all'azione. Non alza il telefono e non chiede in giro chi può procurargli un appuntamento con la Welch. Qualcuno della sua potente cerchia di conoscenze poteva farlo senz'altro.

Terzo, attira una persona a cui *non* pensava. Questo è un punto molto importante: attiriamo ciò che *inconsciamente* pensiamo sia importante per noi. Nella serie televisiva, la Diller è una sua vecchia fiamma e per l'avvocato rappresenta il sesso, o almeno così era stato un tempo. Molto freudiano! Per ottenere ciò che volete, dovete ripulirvi dalle vostre vecchie programmazioni. Finché non l'avrete fatto, non otterrete quello che *dite* di volere. Otterrete solo quello che volete *inconsciamente*.

Ultimo, l'avvocato pensa di citare in giudizio per falso quelli che sostengono che la Legge dell'Attrazione è vera. Questa intenzione dimostra che l'avvocato si sente una vittima che deve ricorrere a qualcosa che sa come manipolare: il codice.

L'episodio mi è piaciuto molto, ma è solo una parodia. La Legge dell'Attrazione non fa eccezioni, nemmeno per il famoso avvocato.

Ma guardiamola meglio...

Dopo le interviste di Larry King nel novembre del 2006 e nel marzo del 2007, sono stato intervistato anche da famose riviste, tra cui *Time*, *Bottomline Personal* e *Newsweek*. Tutti gli intervistatori volevano sapere se la Legge dell'Attrazione è una vera legge, come quella di gravità.

Di solito fanno questo discorso.

"La legge di gravità si può dimostrare. Se salgo in cima a un grattacielo e butto giù un libro, il libro precipita a terra. Questa è la prova della sua esistenza".

Io mi dichiaro d'accordo e loro continuano.

"Se invece cerco di attirare qualcosa, a volte funziona e a volte no. Quindi non è una vera legge".

Non sono d'accordo e vi spiego perché.

Dire che non siete riusciti ad attirare una certa cosa è come dire che, buttando giù un libro dalla cima di un grattacielo, volevate colpire un *punto preciso*, ma l'avete mancato. Ma questo vi consente di affermare che la legge di gravità non esiste?

Se un paracadutista, invece di atterrare nel cerchio segnato per terra, resta impigliato tra gli alberi, significa forse che la gravità non esiste?

Esiste, ma semplicemente non sapete come usarla per ottenere i risultati desiderati.

Lo stesso vale per la Legge dell'Attrazione.

Se volete attirare una macchina nuova e attirate soltanto un motorino, non significa che la legge non esiste. Significa che avete attirato quello che pensavate di poter attirare. Probabilmente non vi aspettavate davvero di attirare una macchina nuova. Forse non sentivate di meritarla o forse sentivate che non avreste potuto permettervela. È quello che sentite che determina i risultati della Legge dell'Attrazione.

Lo ripeto: la Legge dell'Attrazione non ha eccezioni. Forse la migliore smentita dei suoi detrattori è quella di William Walker Atkinson, nel suo libro *Thought Vibration*.

Una volta, stavo parlando con un tale del potere di attrazione del pensiero. Rispose che non ci credeva, e che è solo questione di fortuna. Lui era un esempio vivente di sfortuna, perché tutto quello che faceva finiva male. Era sempre stato così e sarebbe stato sempre così, ormai era quello che si aspettava in qualunque situazione. Qualunque cosa accedesse, sapeva in anticipo che sarebbe finita male. Non c'era niente di vero in quel discorso sul potere di attrazione del pensiero, si trattava soltanto di fortuna o di sfortuna.

Quel tale non si era accorto che le sue parole al contrario dimostravano la realtà della Legge dell'Attrazione. Per sua stessa ammissione, si aspettava ogni volta che tutto andasse male e il risultato era che le cose andavano esattamente così. Era una splendida dimostrazione della validità della Legge dell'Attrazione, ma sembrava non capirlo e niente riusciva a convincerlo del contrario. Aveva deciso che la legge non era vera e non era disposto a cambiare idea. Si aspettava che le cose andassero male, le cose andavano effettivamente male e quella era la prova che lui aveva ragione e che la scienza della mente era una stupidaggine.

Ricevete effettivamente quello che attirate. Non ci sono scappatoie in questa legge. Non ci sono eccezioni. Ciò che avete è ciò che avete attirato.

Il problema è che l'avete attirato inconsciamente.

Tutto qui.

Ciò non significa che dovete sentirvi stupidi o giudicarvi negativamente.

Non dovete colpevolizzarvi, ma assumervi le vostre responsabilità.

Si tratta di risvegliarvi.

Come?

Utilizzando la Chiave.

È sempre necessario passare all'azione?

Il successo è una somma di piccoli sforzi,
giorno dopo giorno dopo giorno.

— ROBERT COLLIER

Per mettere in pratica le idee esposte nel mio libro *The Attractor Factor* e nel film *The Secret*, non è sempre necessario passare all'azione. A volte, anzi molto spesso, ciò che desiderate vi arriva senza fare quasi niente. Ciò nonostante, la maggior parte delle volte dovete fare *qualcosa*.

Quando la segretaria di Larry King mi chiamò un mercoledì sera dicendomi che ero invitato allo show di Larry *il giorno dopo*, mi sono dovuto precipitare all'aeroporto e da Austin, in Texas, volare a Los Angeles. Dovevo correre e quella era azione. Ma era un'azione facile da fare, perché faceva parte del processo naturale di attirare un altro miracolo.

La mia idea di azione è diversa da quella di molti altri. Nel mio libro *The Attractor Factor* la chiamo 'azione ispirata'. Se sentite un'improvvisa spinta interiore a fare una telefonata, comprare un libro, partecipare a un evento o chiedere un colloquio di lavoro, seguitela. Mettetela in atto.

Questa 'spinta' proviene da quella parte di voi collegata al più grande tutto. È la parte che vi condurrà al vostro scopo. Questa parte vi spinge a fare una certa cosa, ma sta a voi farla.

Il secondo aspetto è che, se siete 'puliti' rispetto ai vostri desideri e se siete disposti a fare tutto il necessario per realizzarli, l'azione sarà priva di sforzo.

Ne ho parlato in tutti i miei testi. Per qualcuno scrivere tutti quei libri avrebbe comportato una fatica enorme; per me invece è stata una cosa assolutamente priva di sforzo. È un lavoro, certo, ma lo affronto con una disposizione mentale di assoluta naturalezza, come se respirassi.

Alcuni dicono che *The Secret* lascia credere che l'azione non sia necessaria. Ma nel film dico: "L'universo ama la rapidità. Non indugiate, non rimandate, non dubitate. Quando si presenta un'opportunità, quando sentite un impulso, una spinta interiore, *agite*. Questo è il vostro compito ed è tutto quello che dovete fare".

A seconda delle circostanze, l'azione può essere necessaria oppure no. Dipende da voi e da quello che volete. Ma il più delle volte bisogna fare qualcosa. Usare la Chiave significa anche fare attenzione ai segni e afferrare le situazioni al volo quando sentite che fanno parte del piano divino.

Se lo fate, accadono miracoli.

Ecco un esempio.

Quando mi vennero diagnosticati dei linfonodi ai polmoni che potevano essere fatali, presi una decisione. Usai ciò che non volevo, i linfonodi (vedi il passo 1 di *The Attractor Factor*), per affermare ciò che *volevo*: essere completamente libero da qualunque problema di salute. Feci la seguente dichiarazione: "Voglio che i linfonodi scompaiano per essere in perfetta salute".

Molti, dopo avere espresso un'intenzione, si fermano lì. Non fanno nient'altro. A volte non dovete fare niente, a volte basta davvero l'intenzione per far scattare dentro di voi tutto ciò che occorre. Ma spesso dovete fare qualcosa. Può trattarsi di un'azione piccola o grande, ma comunque è necessaria una mossa pratica per attirare il risultato desiderato.

Nel mio caso, sentii la spinta interiore a scrivere ad alcuni amici che avrebbero potuto aiutarmi. Non avevo nessuna motivazione logica per rivolgermi a loro. Razionalmente potevo pensare di avere bisogno del loro appoggio psicologico, ma in realtà stavo facendo solo quello che mi ero sentito spinto a fare. E lo feci.

Una delle persone a cui mi rivolsi fu Joseph Sugarman, presidente della BluBlocker Corporation e autore di vari libri, tra cui *Triggers*. Con mia sorpresa, Joe mi rispose dicendo che aveva lavorato con un'équipe di medici che studiavano un nuovo farmaco contro il cancro. Non era ancora sul mercato, ma se volevo me ne avrebbe mandato un campione. Potete immaginare la mia gioia. Eccome se lo volevo! Gli chiesi informazioni più dettagliate e questa è una parte della risposta di Joe.

Si tratta di un nuovo farmaco a base di glutatione, un antiossidante naturale che è stato studiato a fondo nella letteratura scientifica. Tutti gli studi ne hanno dimostrato l'efficacia come agente immunitario, e sto parlando di 70.000 studi!

Più il corpo invecchia e meno glutatione produce. Le cellule, che ne hanno un disperato bisogno, incominciano a morire perché il corpo perde a poco la capacità di riparare le cellule danneggiate.

Ma c'era un problema. Purtroppo, l'assunzione di glutatione non si era rivelata altrettanto efficace. Il glutatione di sintesi viene praticamente distrutto dal sangue se viene iniettato o dallo stomaco se viene preso per bocca. Bisognava riuscire a proteggere la sua funzione antiossidante prima che il glutatione venisse attaccato. Alla fine è stato creato il Protectus 120, il primo glutatione 'protetto' che riesce a raggiungere le cellule come se fosse una materia grassa solubile. Le pareti cellulari lo assorbono con facilità e in questo modo vengono ripristinate le capacità immunitarie e le funzioni di riparazione di un organismo giovane.

Ovviamente, gli chiesi di mandarmi subito la cura (oggi potete informarvi sul Protectus 120 sul sito http://www.stem120.com/protected-glutathione.htm).

Joe mi mise in contatto con il laboratorio che lo produceva e il farmaco mi arrivò dopo pochi giorni. Iniziai ad assumerlo immediatamente.

Tutto ciò non sarebbe accaduto se non fossi passato all'azione.

Ma non mi fermai lì.

Contattai anche dei guaritori che conoscevo personalmente o di cui avevo sentito parlare, e lo feci perché avevo sentito la spinta a farlo. Howard Wills mi dedicò lunghe sedute telefoniche in cui mi mandava la sua energia curativa. Lo stesso fece Ann Taylor. John Roper pregò per me. Kathy Bolden fece per me delle sedute a distanza. Contattai Roopa e Deepak Chari al Chari Center for Healing di San Diego. Contattai anche un medico, il dottor Marc Gitterle, e un chiropratico, Rick Barrett.

Come vedete, feci un mucchio di cose. Ammetto che in parte erano azioni derivate dalla paura. In altre parole, se avessi creduto di più nel potere dell'intenzione avrei fatto probabilmente molto di meno. Ma ho fatto *qualco-*

sa e gran parte di questo qualcosa derivava da una spinta interiore. Il risultato fu che i linfonodi divennero innocui.

Mentre applicate la Chiave, ascoltate le spinte interiori a fare una certa cosa. Cercate di capire se si fondano sulla paura o sull'amore. Se fate resistenza, è un segno che probabilmente dovete fare quella cosa. Applicando i passi spiegati nella seconda parte, farete tutto ciò che occorre per attirare i risultati desiderati. E lo farete in modo naturale.

Come considerazione finale, sappiate che non dovrete fare sempre *tutto* quello che occorre per attirare i risultati che desiderate, e neppure *una parte*. L'importante è essere *disposti* a fare quello che vi suggerisce la spinta interiore. Questa disponibilità è il segno che siete puliti. Se siete puliti otterrete ciò che volete (e anche di più).

Questa è la promessa della Chiave.

Come attirare un milione di dollari

"Sono perfettamente soddisfatta: ne voglio ancora!"

— BRITTA ALEXANDRA, ALIAS MISS BOOTZIE

Come ho già detto, l'universo (Dio, il Divino o comunque volete chiamarlo) manda un'idea al mondo mentale di molte persone nello stesso momento. Il Divino sa che non tutte quelle persone la metteranno in atto. È come se facesse molte puntate sullo stesso numero.

La persona più veloce a mettere in pratica l'idea vince e in genere è quella che ne ricava di più. Chi arriva per primo vince il premio più consistente. Anche gli altri possono mettere in atto la stessa idea e ottenere delle buone vincite, ma in genere è il primo che arriva con un'idea nuova che la sfrutta al meglio.

Ecco un esempio di come funziona.

Un giorno, mentre ero fuori, un amico mi lasciò un messaggio in segreteria dicendomi che aveva avuto un'idea che valeva milioni di dollari e me la descrisse brevemente.

Il bello fu che, mentre lui me la *descriveva*, io mi stavo già dando da fare per *realizzarla*.

L'universo aveva mandato la stessa idea a lui, a me e probabilmente a molti altri. Ma, appena ricevuta, io l'avevo messa immediatamente in pratica. Velocità! La stavo già realizzando mentre altri, compreso il mio amico, ci stavano ancora pensando.

L'ho già detto e lo ripeto: l'universo ama la rapidità, il denaro ama la velocità. Appena vi viene un'idea, datevi subito da fare.

Se non ci mettiamo subito al lavoro, è perché abbiamo qualche esitazione. Sono queste esitazioni che vanno eliminate. Per questo avete bisogno della Chiave. Quando siete ripuliti sapete che cosa dovete fare e lo fate e basta.

Un'altra cosa interessante è che il mio amico non si arrabbiò perché io avevo attuato la sua stessa idea. Sapeva che avrebbe potuto produrre anche lui la stessa cosa e che nel mondo non c'è scarsità. Lui mi aiutò e io aiutai lui.

Questa è l'esperienza vincitore-vincitore che farete ogni volta che utilizzerete la Chiave.

Ecco un altro esempio.

Il mio chiropratico, Rick Barrett, vide che avevo una borsa di pelle, una specie di bisaccia molto elegante, e mi disse che ne avrebbe voluta una anche lui. L'avevo comprata un anno prima per 150 dollari e non pensavo che fosse possibile trovarne un'altra uguale, perché l'aveva fatta un artigiano che girava le fiere e aveva solo pezzi unici, soprattutto cinture. Ciò nonostante, mi dissi che volevo attirare una borsa simile alla mia per il dottor Barrett.

Ogni giorno ripetevo la mia domanda, per pochi secondi ogni volta. Esprimevo l'intenzione di contattare l'uomo che me l'aveva venduta per chiedergli se ne aveva una uguale. Poi lasciavo andare quel pensiero e mi dedicavo ad altre cose.

Un giorno, all'improvviso, ricevetti una mail proprio da lui. Voleva sapere se mi era arrivata la cintura che mi aveva mandato in omaggio. Pensai che era davvero stupefacente che mi avesse cercato lui, perché io non sapevo come contattarlo. Lo ringraziai e gli chiesi se aveva una borsa simile a quella che mi aveva venduto un anno prima.

Mi rispose che non trattava più borse, ma che frugando in magazzino ne aveva trovate due di quel modello e che me le avrebbe mandate in omaggio. Aggiunse: "Lei è l'autore di *The Attractor Factor*, vero? Bene, c'è riuscito di nuovo".

Meraviglioso, no?

Ma la Legge dell'Attrazione funziona solo se siete interiormente ripuliti. Chiedete quello che volete, senza preoccuparvi dei risultati. Fate la vostra richiesta gioiosamente. Poi, quando l'universo vi offre un'opportunità, afferratela. Tutto qui.

Notate anche l'effetto vincitore-vincitore: il dottor Barrett ha potuto scegliere tra due borse quella che preferiva e io ho avuto gratuitamente l'altra.

E l'uomo che mi ha regalato le borse? Gli ho fatto un regalo anch'io: la serie di DVD di *The Missing Secret*, il DVD *Humburg*, una copia del mio ultimo libro, *Buying Trances: A New Psychology of Sales and Marketing*, e altre cosette.

Inoltre, gli faccio pubblicità in questo momento. Si chiama Rob McNaughton e il suo sito è www.rob-diamond.net.

Ecco come funziona la Legge dell'Attrazione: quando siete interiormente puliti, vi arriva quello che chiedete o qualcosa di ancora migliore rispetto a quello che desideravate consciamente. Se invece non siete puliti continuate ad avere dei blocchi, che in genere sono sempre gli stessi.

Ieri sera davano alla TV un famoso film d'azione, *Die Hard 2*, con Bruce Willis. Dopo essere sfuggito per un pelo a una banda di terroristi nel primo film, nel secondo rischia di fare la stessa fine. A un certo punto, Willis dice la battuta: "Perché mi succedono sempre queste cose?". E io urlai al televisore: "È il Fattore Attrazione, fratello!".

Finché il personaggio di Bruce Willis non userà la Chiave per ripulirsi, continuerà ad attrarre le stesse situazioni senza capire che è *lui* la calamita.

Non essere 'puliti' può produrre splendidi film, ma una vita orribile.

Perché cose materiali?

Lo stato mentale del perdono è una forza
magnetica che attira le cose.

— CATHERINE PONDER

Molti dei miei lettori si chiedono perché chi legge i miei libri o vede il film *The Secret* è interessato ad attirare cose come una macchina nuova, una casa o la felicità personale, cioè a soddisfare desideri egoistici.

La risposta è che molte persone sono così infelici, così a disagio o semplicemente così al verde che usare la Chiave per attirare una casa, un lavoro o una macchina è la cosa più nobile che possono fare, considerata la loro situazione. È esattamente quello che devono fare: non è solo egoismo, può essere un passo verso la realizzazione di sé.

Secondo alcuni, la Legge dell'Attrazione viene applicata a cose troppo materiali. Queste persone non capiscono che materia e spirito sono un'unica cosa. Siamo esseri materiali con un'essenza spirituale. Qualunque cosa desideriamo è un simbolo, un oggetto in apparenza concreto che in realtà è fatto di energia. L'energia è spirito. Materia e spirito sono le due facce della stessa medaglia. Desiderare una cosa materiale è il primo passo per risvegliarvi allo spirito in voi, in quella certa cosa e in tutte le altre.

Sono sicuro che a un certo momento alzerete lo sguardo. Dopo aver manifestato un paio di automobili, più denaro o un rapporto migliore, inizierete ad allargare i vostri desideri. Incomincerete a capire che tutto è possibile. Incomincerete a voler aiutare gli altri e il nostro pianeta. Nel mondo esistono molte persone che lo fanno già. Usano la Legge dell'Attrazione per curare il cancro o l'AIDS, per aiutare chi ha bisogno e per fare molto di più.

Un buon esempio è Oprah, che usando i principi contenuti in *The Secret* sta facendo un lavoro meraviglioso nel Terzo Mondo. Larry King ha creato una fondazione per la cura delle malattie cardiovascolari. George Foreman, un campione dei pesi massimi, ha fondato vari centri di recupero per giovani.

Altri si dedicano a progetti altrettanto importanti.

Jack Canfield è entrato in politica con l'idea di trasformarla. Lisa Nichols è impegnata negli aiuti alle popolazioni africane. Io mi dedico a varie attività per migliorare la condizione dei senza tetto e cancellare la povertà, situazioni che ho sperimentato personalmente. Assieme a Scott York aiuto le persone a sviluppare i loro muscoli e i loro affari (andate a vedere www.yourbusinessbody.com).

Anche altri di cui non avete mai sentito parlare applicano la Legge dell'Attrazione per fare la differenza. Cynthia Mann ha lanciato una campagna, chiamata Red Lipstick Campaign, per raccogliere fondi destinati alla cosmesi delle donne malate di cancro, perché possano sentirsi meglio con se stesse. Tammy Nerby è un'attrice che manda ai nostri soldati impegnati all'estero audio e video che raccolgono testimonianze di stima e ringraziamento per quello che stanno facendo.

E la lista potrebbe continuare.

Dato che uno dei nostri problemi più grossi è lo schema mentale che ci fa sentire vittime, non lo si può superare in un giorno. Ma vi posso assicurare che ci sono persone meravigliose che lavorano a questo problema, utilizzando gli insegnamenti del film *The Secret* e del libro *The Attractor Factor*.

Un elemento fondamentale è che imparare ad attirare oggetti materiali serve a convincervi che questa legge funziona. Se non avete un lavoro e grazie alla Chiave ne attirate uno, è la prova che funziona. Se prima non potevate permettervi una macchina e poi, utilizzando la Chiave spiegata in questo libro, ci riuscite, la macchina sarà la prova tangibile che state imparando a creare la vostra realtà. In questo modo, le cose materiali diventano dei passi verso il vostro risveglio.

E qui c'è la cosa più importante: invece di guardare sempre gli altri, iniziate a guardare *voi stessi*.

Voi, che cosa state facendo per il mondo?

Voi, che cosa create e portate avanti?

Voi, in che modo contribuite a rendere il nostro pianeta un posto migliore?

Quando vi chiedete che cosa volete per voi stessi, chiedetevi anche che cosa volete per il mondo. Partecipiamo tutti assieme a questa avventura. Quello che scegliete di attirare può aiutare il mondo, se ne siete consapevoli. Vi incoraggio a pensare in termini più ampi di quanto avete sempre fatto, includendo molte nobili cause. Non dovete diventare per forza come Madre Teresa. Potete essere un angelo silenzioso che fa del bene al mondo.

Come disse il Mahatma Gandhi: "Siate il cambiamento che volete vedere nel mondo".

Lo siete già?

Lo sarete?

E quando?

La vostra soglia del merito

Non guardate mai alla società come a un modello di comportamenti e di valori funzionali.

— BRUCE GOLDBERG, *KARMIC CAPITALISM*

Molti si lamentano di non avere abbastanza soldi.

Guardano le bollette, guardano i loro bisogni e i loro desideri, guardano il loro estratto conto e inorridiscono.

Come faranno a pagare le bollette?

Come faranno a sfamare la famiglia?

Come faranno ad attirare più denaro?

Sono sicuro che conoscete tutti questa sensazione, forse la state provando in questo momento. Ci siamo passati tutti.

Per me, la cosa *davvero* curiosa è questa: il film *The Secret* e i maestri che vi compaiono descrivono dei modi comprovati per attirare denaro e cose materiali. È chiaro che funziona, come confermano le testimonianze di migliaia di persone che oggi dispongono di somme di denaro che prima non avevano.

Eppure, qualcuno obietta che il film è incentrato solo sul denaro e sulle cose materiali. Quindi è un film che insegna l'egoismo.

Sentite il condizionamento culturale dietro questa affermazione?

"Il denaro è cattivo".

"Prendersi cura di se stessi è male".

"Le cose materiali non sono spirituali".

Vi prego di notare la contraddizione. Se volete del denaro, e nello stesso tempo lo giudicate cattivo o egoistico, *lo state spingendo via*.

Anche alcuni estimatori del film si comportano così. Usano la Legge dell'Attrazione per estinguere i debiti o comperare un'automobile nuova e poi iniziano a pensare di essere degli egoisti. A questo punto chiudono inconsciamente il rubinetto, si stupiscono di aver agito in quel modo e incominciano a criticare il film.

Davvero strano.

Prima si preoccupano per il denaro, si rodono il fegato perché non ne hanno, sgomitano per averlo e poi, dopo avere imparato ad attirarlo e dopo averlo effettivamente attirato, iniziano a dire che il denaro non è spirituale.

Ma... non erano gli stessi che lo volevano? Perché il denaro era buono finché non ne avevano e adesso che ne hanno è diventato cattivo?

A causa delle loro credenze. Hanno superato la loro 'soglia del merito'.

Mio padre gioca alla lotteria. Ma, quando la posta in palio sale a un centinaio di milioni di dollari, non gioca più. Dice che 'è una somma troppo grossa' e che 'tutto quel denaro è una rovina'.

Siamo di nuovo di fronte a una convinzione, siamo davanti alla nostra 'soglia del merito'.

Una volta, un tale chiamò la moglie e mi passò il telefono. Voleva farle una sorpresa, facendola parlare con una star di *The Secret*. Presi il telefono, mi presentai e la donna lanciò un'esclamazione di sorpresa. Stava parlando con una celebrità. Dopo un primo momento di stordimento per l'eccitazione, mi chiese che cosa stavo facendo per salvare il mondo.

All'inizio era stata una fan del film e ora, dopo avere imparato a manifestare alcune cose, era arrivata al limite della sua 'zona di sicurezza' e non voleva più niente.

Come mai?

Sul mio blog (www.blog.mrfire.com) parlo spesso della mia auto preferita, Francine. È una Panoz Esperante GTLM del 2005, un modello sportivo di lusso. Io la amo, ma non tutti amano che scriva di lei. Un regolare frequentatore del mio blog mi ha scritto:

> Prima, quando parlavi delle tue macchine mi dava fastidio, ma ora ho capito che stavi semplicemente spingendo un bottone dentro di me. Non aveva niente a che fare

con le tue macchine: non ero a mio agio con la ricchezza e non mi piaceva che qualcuno ostentasse la sua. Adesso mi godo quello che scrivi su Francine. Grazie per avermi aiutato a cancellare i miei limiti interiori.

Aveva riconosciuto la sua 'soglia del merito'. Gli era bastato prenderne consapevolezza per elevare la soglia a un nuovo livello.

Un altro esempio. Molti maestri del film *The Secret* sono a vostra disposizione per aiutarvi a raggiungere i vostri obiettivi. Se la vostra mente è aperta, li ringraziate per i servizi che vi offrono. Se la vostra mente è chiusa, direte che stanno soltanto 'vendendo'.

Allora, servono o vendono?

Entrambe le cose e nessuna delle due. Dipende dalle vostre credenze. Dipende dalla vostra soglia del merito. Se pensate che si stiano approfittando di voi, lo chiamate 'vendere' (perché pensate che vendere sia cattivo). Se pensate che vi stiano aiutando, lo chiamate 'servire' (perché sapete che servire è utile).

Si tratta come sempre delle vostre credenze, soprattutto riguardo a quello che sentite di *meritare*. È questa convinzione che crea la soglia che non potrete mai superare senza i metodi per ripulirvi esposti in questo libro.

Tutto questo mi riporta alla domanda che un terapeuta faceva ai suoi pazienti:

"Quanta felicità riesce a sopportare?".

Molti non riescono a sopportare troppa felicità.

"Che cosa penseranno i vicini?".

"Che cosa penserà la mia famiglia?".

"Troppa felicità sarà sicuramente seguita da un tracollo".

"Non merito cose troppo belle".

"Se è troppo bello non durerà e mi ritroverò di nuovo per terra".

"Se fossi felice, non mi preoccuperei più di salvare il pianeta".

Sono tutte convinzioni limitanti.

La vostra vita può essere meravigliosa, davvero stupefacente. Ma spesso arriviamo al limite della nostra zona di sicurezza e non lo superiamo. Perché? A causa dei limiti che ci imponiamo da soli. A causa della nostra 'soglia del merito'.

Potete ingannarvi da soli criticando *The Secret*, me, gli altri, il mondo e tutto quello che volete, ma il risultato è che siete *voi* a limitare la vostra felicità.

Non mi stancherò di ripetere che, una volta che vi siete ripuliti usando la Chiave, non c'è niente che non potete avere, fare o essere. Sono convinto che non ci siano limiti. Tutti i limiti derivano dalla nostra attuale idea di realtà, che cambia nella misura in cui innalziamo la soglia del possibile. Lo scopo finale è la felicità e quello che chiamo risveglio spirituale, e gli unici ostacoli sono quelli che mettete da soli sulla vostra strada.

A proposito, quanta felicità riuscite a sopportare?

Aspettarsi miracoli

*Una cosa accade soltanto se ci credi davvero,
ed è crederci che la fa accadere.*

— FRANK LLOYD WRIGHT

Nella seconda parte di questo libro vi spiegherò dieci
metodi testati e verificati per ripulirvi e risvegliarvi, in
modo da poter applicare consapevolmente la Legge del-
l'Attrazione. Ogni metodo è completo in se stesso, il che
significa che non avete bisogno di altro. Non c'è niente
di male nel leggere altri libri o nel seguire altri insegnamenti, ma questo libro è uno strumento che non ha bisogno di nient'altro. È tutto ciò che vi serve per la vostra
trasformazione.

Potete leggere i dieci metodi nell'ordine che vi sentite
spinti a seguire, ma il mio consiglio è di leggerli nell'ordine in cui sono esposti, dall'inizio alla fine, come se fosse

un romanzo, per coglierne il senso generale. Poi potrete scegliere la tecnica che vi attira di più. Abbiate fiducia in voi stessi e godetevi il processo. La mia regola aurea è fare quello che ci diverte. Se vi dicono di fare qualcosa che non vi diverte, cambiate prospettiva o cercate qualcosa che vi piaccia. La vostra crescita personale riguarda voi e potete scegliere il metodo che vi attira di più a seconda della situazione. La scelta è sempre vostra.

Prima di passare ai metodi, voglio ricordarvi che se volete un aiuto in questa avventura di magia e di miracoli, potete appoggiarvi al programma Miracles Coaching (www.miraclescoaching.com). Ripeto che questo libro vi offre tutto ciò di cui avete bisogno, ma un aiuto potrebbe accelerare il processo, (Alan Deutschman, nel suo libro *Change or Die*, sostiene che il primo passo in direzione di un vero cambiamento consiste nell'avere un gruppo di supporto).

Ora stendete una lista di cose che vorreste avere, fare o essere. È molto importante. Dichiarare le vostre intenzioni spinge il vostro pensiero a dare il via al lavoro per realizzarle. Vi allinea alla Legge dell'Attrazione.

Inoltre, accade qualcosa di magico. È come se faceste un'ordinazione all'universo (o comunque volete chiamare quel potere più grande di noi) e l'universo inizierà a mettervi nelle condizioni giuste per attirare ciò che desiderate. Vi fornirà tutto ciò che vi serve per il processo di attrazione, in modo che possiate superare qualunque ostacolo.

Questa non è magia, anche se a volte lo sembra. Si tratta semplicemente di usare le leggi naturali dell'universo per allinearvi all'esperienza che volete attirare.

Ricordate di pensare in grande. In un altro mio libro, *Life's Missing Instruction Manual*, ho usato il mio motto preferito, una frase latina del XVI secolo che dice: *Aude aliquid dignum*, 'Osa qualcosa di degno'.

Se potete avere tutto, se potete osare tutto, che cosa chiederete?

Un'altra cosa. Nel mio libro *The Greatest Money-Making Secret in History* suggerisco di 'pensare come Dio'. Che cosa significa? Avendo il potere di avere, fare o essere qualunque cosa, che cosa vorreste avere, essere o fare? Ricordate: Dio non ha limiti. Se pensaste come pensa Dio, vi preoccupereste per qualcosa? Avreste delle scuse per non riuscire? Fate *come se* foste Dio e immaginate la vita che volete attirare.

Allora, che cosa vorreste?

Scrivetelo qui o nel vostro diario.

_____

_____

_____

_____

_____

_____

_____

_____

_____

_____

_____

_____

_____

_____

_____

_____

_____

_____

È il modo in cui vediamo il mondo a creare il mondo che vediamo.

— Barry Neil Kaufman

Pensate più in grande!

Se non sapete che non potete, potete. Se non sapete che potete, non potete.

— Gene Landrum, *The Superman Syndrome*

Lasciate che vi dia una piccola spinta. Rileggete la lista delle cose che avete appena scritto e chiedetevi se siete stati sinceri. In altre parole, avete rinunciato a inserire qualcosa che volete *davvero*, ma che vi sembra impossibile o che non sapete ancora come realizzare?

Pensate più in grande di quanto abbiate mai pensato! E pensate anche agli altri. Se includono il bene degli altri, le intenzioni sono più potenti. Volere del denaro per voi va benissimo, ma volerlo per voi e per la vostra famiglia è ancora meglio.

Nel libro *Spiritual Capitalism*, Peter Ressler e Monika Mitchell Ressler citano una frase di Albert Einstein: "L'essere umano sperimenta se stesso, i suoi pensieri e le sue percezioni come separati dal resto: una specie di illusione ottica della coscienza. Questa illusione è una prigione che ci limita ai nostri desideri personali e all'amore solo per le persone che ci sono più vicine. Dobbiamo liberarci da questa prigione allargando la nostra compassione per includere tutti gli esseri viventi e tutta la natura".

C'è forse qualcosa di sbagliato in grandi ideali come volere la pace nel mondo, nutrire chi muore di fame o dare una casa ai senza tetto? A prima vista sembrano cose irrealizzabili, ma io credo nei miracoli. Credo che tutto sia possibile, senza nessuna eccezione. Forse non sapete come fare per realizzare una certa cosa, e forse nessuno c'è ancora riuscito, ma ciò non significa che non sia possibile. Potreste essere proprio voi quello che cura, risolve o sistema le cose... Scgliete voi la parola che preferite.

A questo punto, riscrivete la lista delle cose che volete, senza *ma* e senza *se*. Non preoccupatevi di come farete. Una volta dichiarata la vostra intenzione, inizierete a pensare alle possibilità di attirarla. Applicando i metodi descritti nella seconda parte, inizierete a fare miracoli. Allora, quali sono le vostre intenzioni ancora più grandi? Scrivetele.

_____

_____

_____

_____

_____

_____

_____

_____

_____

_____

_____

_____

_____

_____

_____

_____

_____

Buona lettura e *aspettatevi miracoli!*

Parte seconda

I Metodi

Il concetto di un universo fatto di puro pensiero getta una nuova luce su molti fenomeni che abbiamo incontrato nella nostra esposizione della fisica moderna.

— SIR JAMES JEANS, FISICO, MATEMATICO E ASTRONOMO

Metodo 1

Voi siete qui

> *La felicità dipende più dallo stato interiore
> della mente che dalle circostanze esterne.*
>
> — BENJAMIN FRANKLIN

Ero andato ad Austin, nel Texas, per incontrare lo staff dei programmi Miracles Coaching ed Executive Mentoring. Portavo eccitanti notizie e altre strepitose novità si presentarono mentre ero lì.

Al mattino telefonarono dallo show televisivo *Today* per chiedermi informazioni sul mio nuovo libro, *Zero Limits*. Magnifico, ma non così magnifico come quello che stava per accadere.

Per l'ora di pranzo avevo preparato la lista completa di tutto quello che avevo fatto in una vita di lavoro: 45

pagine che comprendevano libri, e-books, audio, video, software, programmi di fitness, ecc. Assolutamente tutto quello che avevo fatto, la lista impressionò anche me.

Ma nemmeno questa fu la cosa più eccitante della giornata.

Pranzando con il mio staff, sentii la spinta a condividere una cosa. Mi alzai, mi avvicinai alla lavagna e disegnai un punto dentro un cerchio.

"Voi siete qui", dissi.

Aggiunsi di pensare alle mappe che si trovano nei grandi centri commerciali, con un punto colorato, una freccia e una scritta che dice: "Voi siete qui".

Poi chiesi: "Da questo punto, dove volete andare?".

"Su", rispose uno.

"Più in su della lavagna", rispose un altro.

"Bene, tutti volete muovervi. Volete più vendite, più risultati, più ricchezza. Giusto?".

Tutti si dichiararono d'accordo.

Disegnai poi un altro puntino dentro un cerchio all'estremità superiore della lavagna.

"Questo rappresenta la vostra meta", dissi. Poi chiesi: "Come fate per andare dal punto in cui vi trovate al punto che volete raggiungere?".

Ci pensarono un momento, poi iniziarono a dare risposte come: "Andandoci direttamente", "Facendo un passo per volta", "Spingendo le vendite" e così via.

"Benissimo. Sono tutte risposte pratiche, ma vorrei che pensaste nei termini di *The Secret* e del libro *The Attractor*

Factor".

E aggiunsi: "Sto per rilevarvi il più grande segreto per manifestare tutto ciò che volete".

Rimasero in silenzio, non capivano dove volevo arrivare.

"Per caso, qualcuno vuole conoscerlo?", chiesi.

Scoppiarono a ridere. Era ovvio che volevano conoscerlo.

Indicai il puntino 'voi siete qui' e dissi: "Il segreto per ottenere ciò che volete è apprezzare completamente questo momento. Se sentite gratitudine per questo istante, tutto ciò che vi capiterà scaturirà da esso. Sarete ispirati a fare una certa cosa e passerete al punto più in alto; ma, per passare al punto più in alto, dovete vivere con gratitudine il momento presente".

Era una cosa che sapevano già, ma volevo che la capissero a fondo.

Citai la mia irresistibile amica Bootzie e la sua frase preferita. "Sono perfettamente soddisfatta: ne voglio ancora!". Questa è la chiave del successo.

Ne voglio ancora, ma non perché ne ho bisogno.

Continuai a parlare della gratitudine e di come porta sempre più in alto. In genere non siamo soddisfatti del momento presente e pensiamo che saremo felici solo quando arriveremo a quell'altro punto. L'ironia è che, raggiunto quell'altro punto, continuiamo a essere infelici e andiamo alla ricerca di qualcos'altro. Usiamo l'infelicità per spingerci avanti, ma è un atteggiamento sbagliato.

Siate felici *adesso*.

Da questa felicità si produrranno i miracoli che attendete.

Il gruppo recepì il messaggio. Tutti vennero a stringermi la mano con un magnifico sorriso e una meravigliosa luce negli occhi. E mentre si allontanavano sembrava che avessero una molla nelle scarpe.

Ma aspettate, il bello deve ancora venire.

Il telefono squillò. Era Suzanne, la mia assistente. Non mi chiama quasi mai, soprattutto se sa che sono in riunione. Quindi doveva essere qualcosa di davvero importante.

Infatti, Oprah voleva i miei materiali.

E li volevano quel giorno stesso.

E mi voleva come ospite nel suo show.

Oprah!

Notate che in quel momento ero già felice. Se sono felice nel momento presente, il momento successivo è un altro dono. Ed essere felice anche nel momento successivo attira ancora più felicità.

Potete farlo anche voi. Forse non vi arriverà un invito da parte di Oprah, ma vi arriverà quello che è giusto per voi. Lo spiego nel mio libro *Zero Limits*, ma in sintesi si tratta di questo: tutto ciò che dovete fare è abbracciare completamente il punto che dice 'voi siete qui' e fare quello che vi dice di fare.

E quando squilla il telefono, rispondete immediatamente!

Quindi, il primo passo è la gratitudine. Non mi stancherò mai di sottolineare l'importanza di questo metodo per ripulirvi e manifestare i miracoli che desiderate.

Una volta, Robert Ringer mi intervistò in uno dei suoi teleseminari. Ha scritto molti libri di successo, tra cui *Winning Through Intimation* e *Looking Out for #1*. Si trovò d'accordo con me sul fatto che la gratitudine è il biglietto vincente.

Nell'intervista spiegai che sentirci grati per qualunque cosa, da una matita a questo libro, alle calze che indossiamo, può cambiare il nostro stato interiore. In questo modo attiriamo sempre più cose di cui sentirci grati.

Quando partecipai per la prima volta allo show *Larry King Live*, il mio amico Jack Canfield, co-autore della serie *Chicken Soup for the Soul* e di *The Success Principles*, disse che uno scrittore, John DeMartini, non si alzava mai dal letto al mattino prima che una lacrima di gratitudine gli scendesse sul viso. Immaginate che sensazione meravigliosa iniziare la giornata con questo bellissimo sentimento.

Ieri ero a San Antonio, in compagnia di un caro amico. Stavamo parlando della vita e di spiritualità, e io dissi che la maggior parte delle persone non vivono nel momento. Pensano al prossimo affare, alla prossima auto, alla prossima casa, al prossimo pagamento... senza rendersi conto che il vero potere, il vero miracolo, è qui e adesso.

La grande illusione è rincorrere continuamente le cose future. Non che sia sbagliato, a patto di sapere che fa parte del gioco della vita. Molti pensano che la felicità consista in questo, ma non è così. Appena ottenete o attirate una certa cosa, desiderate subito qualcos'altro. Inseguite il prossimo momento, mentre il trucco è rimanere nel presente e volerne giocosamente ancora. Nessun bisogno, nessun attaccamento, nessuna dipendenza. Semplicemente gratitudine per ciò che c'è adesso, dando contemporaneamente il benvenuto a quello che arriverà.

Gli parlai anche del film *Click*, con Adam Sandler. Adam vive inseguendo continuamente il futuro e solo alla fine si accorge di avere sprecato la sua vita.

Faccio sempre del mio meglio per vivere nel momento. A volte non ci riesco, perché sto imparando anch'io. Ma faccio di tutto per rimanere qui, nel qui e ora, sapendo che in questo modo il momento successivo viene da sé. Se sono totalmente nel momento presente, il prossimo momento sarà altrettanto bello, a volte incredibilmente migliore.

È vivendo nel momento che attirate le cose buone della vita e le apprezzate di più. La Chiave è quindi stare nel momento presente, con consapevolezza e gratitudine.

Quindi, il metodo numero 1 è: stare nel momento presente con gratitudine. È uno dei segreti per usare la Chiave per attirare tutto ciò che volete. Tutto inizia dalla gratitudine.

So che forse state pensando che avete troppi conti da pagare, che avete troppe preoccupazioni o che state troppo male per provare gratitudine. Eppure, c'è sempre *qualcosa* per cui essere grati. Si tratta solo di scegliere di vederlo. Potete provare gratitudine per questo libro, per avere un tetto sulla testa, per avere degli amici, per la sedia su cui sedete o per essere vivi. Iniziate da dove potete, sapendo che la gratitudine è il modo più rapido per attirare miracoli.

Anzi, è provare gratitudine che vi fa capire che il miracolo sta già accadendo qui e ora. Come diceva Socrate: "Chi non è contento di ciò che ha, non sarà contento di ciò che avrà".

Forse questa storia vi aiuterà a provare gratitudine qui e ora.

Circa tre anni fa Kevin Hogan, autore di *The Science of Influence* e di molti altri libri, mi parlò di un bambino di nome Kirk. Aveva avuto un infarto a poche settimane dalla nascita. Ai neonati accade più spesso di quanto si creda.

Kevin mi chiese di aiutarlo a raccogliere fondi per l'intervento chirurgico e io lo feci. Ora Kirk ha parzialmente recuperato le funzioni motorie e ride molto. Attraverso la madre, mi manda per e-mail dei piccoli messaggi d'amore e delle foto che mi fanno sempre sorridere. L'altro giorno ne ricevetti una che guardai a lungo: il sorriso di Kirk era contagioso, così come l'amore che trasmetteva.

È meraviglioso aiutare un essere con una natura così divina, felice di essere dov'è. Nessuna accusa, nessun livore, nessuna amarezza.

Chi può sapere perché un essere come Kirk viene al mondo per affrontare a poche settimane di vita un grave problema di salute? Karma? Reincarnazione? O... forse è una prova divina rivolta a noi. Non a Kirk, che è un Buddha felice, ma a *voi* e a *me*. Siamo noi quelli messi di fronte a questa situazione, siamo noi che dobbiamo crescere grazie a essa, non Kirk.

La verità è che non conosco il motivo di tutto questo. Ma so che, se qualcosa accade, sono io che l'ho attirata e sono io che devo fare qualcosa. Faccio la mia parte raccogliendo fondi per le cure di Kirk e parlando di lui nel mio blog e nei miei libri, come sto facendo in questo momento (Kirk ha anche un sito web: www.amazingkirk.com).

Pensate alla vita di Kirk e chiedetevi se è davvero giusto lamentarvi della vostra. Sorridete, perché avete molte cose per cui essere grati. Non è così?

Vi invito a verificare questo metodo magico. Scrivete qui sotto, o nel vostro diario, tutte le cose per cui vi sentite grati. Può essere una lista di cose, di esperienze o di tutto quello che volete.

_____

_____

_____

_____

_____

_____

Metodo 2

Cambiare le vostre credenze

Nonostante non sembri così ovvio, siamo
infelici perché vogliamo o scegliamo di esserlo.

— BRUCE DI MARSICO

Viviamo in un universo regolato dalle credenze. Ciò in cui crediamo è ciò che riceviamo. Ma come cambiare le credenze per cambiare i risultati?

Uno degli strumenti per ripulirsi più potenti che ho incontrato si chiama Option. È stato creato da Bruce Di Marsico e diffuso da Barry Neil Kaufman, autore di *To Love Is to Be Happy With*. Non ho mai conosciuto Bruce, ma ho lavorato con Barry e altri studenti di Bruce, tra cui Mandy Evans, autrice di *Travelling Free*.

Mandy e io abbiamo lavorato assieme per più di

trent'anni. Ogni volta che mi sentivo 'non pulito', le chiedevo di fare una seduta di Option con lei. Mi ha aiutato a cancellare le mie credenze limitanti riguardo al denaro, alla salute e ai rapporti. Quando mia moglie morì, mi rivolsi a Mandy. Quando decisi di aumentare i miei introiti, mi rivolsi a Mandy. Quando pensai di perdere peso, mi rivolsi a Mandy.

Mandy è una persona meravigliosa e gli strumenti che usa per aiutare me e tanti altri sono veri doni. Option è un processo molto semplice basato sulle domande e sull'amore. Serve a capire perché siamo infelici.

Ogni volta che non ottenete ciò che volete, come conseguenza provate un'emozione. Può essere rabbia, frustrazione, depressione, amarezza, dolore, o tutte le varianti della parola *infelicità*.

Mandy ci aiuta a capire i motivi che ci fanno sentire in questo modo. Conoscerli equivale a lasciarli andare. Lasciandoli andare, siamo liberi. Allora i miracoli diventano possibili.

Ho chiesto a Mandy di spiegare il suo metodo ai lettori di questo libro. Ecco dunque in cosa consiste.

Il metodo Option per capire i motivi della vostra infelicità

Mandy Evans - © 2007

Per migliorare qualunque aspetto della vostra vita, dai rapporti al denaro, dovete scoprire le credenze nascoste che vi impediscono di migliorare. Dopo averle trovate, potete esaminarle più a fondo, per vedere se alla luce del giorno sembrano ancora reali.

Potete liberarvi dalle emozioni dolorose come la paura, la rabbia o la colpa scoprendo e smantellando le credenze che provocano queste emozioni e le tengono in vita.

Invece di lottare inutilmente per cambiare una situazione, potete cambiare le credenze che vi bloccano.

Una credenza è limitante o sfavorevole se provoca infelicità o vi impedisce di riconoscere e seguire i desideri del vostro cuore. Sono le credenze che danno forma e colore a tutto ciò che ottenete, compresi i vostri sogni. Le credenze che impediscono la felicità sono le più limitanti di tutte e le più frustranti.

Se invece siete felici e 'ripuliti', le vostre scelte e le vostre azioni prendono una strada completamente diversa da quella dettata dalla rabbia o dalla paura. Arrivate in luoghi magnifici attraverso un viaggio sorprendentemente diverso.

Uso il metodo Option per aiutare le persone a individuare e a smantellare le credenze che impediscono la felicità, la creatività e il successo. Uno degli elementi principali del metodo Option è un dialogo domanda-risposta, una specie di intervista che fate a voi stessi.

Il primo passo è accettare il modo in cui siete in questo momento. Se vi giudicate invece di accettarvi, vedrete solo il vostro giudizio e non la realtà dei fatti. Prendetevi tutto il tempo che vi occorre. Esaminate il più a fondo possibile le vostre emozioni e le vostre credenze. Ogni domanda deve essere uno sviluppo della domanda precedente.

È utile scrivere le domande, e tenendo un diario potrete seguire i vostri progressi.

Siate pronti ad attraversare periodi di confusione. Cambiando le vostre credenze, la vostra visione della realtà crolla prima che se ne formi una nuova, e questo può essere a dir poco disorientante. Sono domande che a volte si intrecciano e sovrappongono, ma ricordate che riguardano le *vostre* emozioni e le *vostre* credenze.

Ecco le sei principali domande che dovete farvi:

1. *Di che cosa siete infelici?* Oppure arrabbiati, preoccupati, in colpa e così via? Questa domanda serve a identificare il tipo di emozione e a che cosa si riferisce.

2. *Perché siete infelici di quella certa cosa?* Il motivo

della vostra infelicità non è ciò di cui siete infelici. La causa sono sempre le vostre credenze.

3. *Che cosa avete paura che accadrebbe se non foste infelici di quella cosa?* Questa domanda, apparentemente sciocca, vi aiuta a capire se avete paura che la sensazione di infelicità vi abbandoni. Spesso siamo riluttanti a lasciar andare un nostro modo di sentire, anche se è doloroso.

4. *Credete in quello che provate?*

5. *Perché credete in quello che provate?*

6. *Che cosa avete paura che accadrebbe se non ci credeste?* Spesso conserviamo una credenza o una convinzione anche se è limitante o se provoca infelicità. Ora che avete visto le convinzioni che vi limitano, continuano a sembrarvi reali?

Quello che segue è un esempio di dialogo con se stessi. L'ho applicato a me stessa e ho avuto bisogno solo di tre di queste domande per cambiare il mio modo di sentire e la mia vita. Ero consapevole che la mia infelicità derivava dal sapere che tanta gente nel mondo muore di fame e così passai alla domanda successiva:

Perché questa cosa ti fa star male?

Risposta: Perché sembra che non importi a nessuno.

Che cosa temi che accadrebbe se non ti sentissi infelice per questa cosa?

Risposta: Avrei paura di non fare più niente al riguardo.

Ci credi davvero?

Risposta: No!

Appena mi posi l'ultima domanda, capii che più stavo male e meno potevo fare. Più pensavo al problema, meno riuscivo a fare.

Mi sentii subito meglio. Ora faccio molte cose per risolverlo, dalla raccolta di fondi alla ricerca di soluzioni.

Se qualcuno mi chiedesse di sommare tutto quello che ho imparato nella vita e di riassumerlo in un unico consiglio, ecco quello che direi: "Interroga la tua infelicità. Non darla mai per scontata".

La felicità è il primo premio nel gioco della vita e potete procurarvelo da soli.

Alla vostra felicità!

Mandy Evans
www.mandyevans.com

Vi invito ad applicare il metodo di Mandy a un'emozione che state provando in questo momento. Pensate a qualcosa che vorreste avere, fare o essere. Se non l'avete ancora attirata, come vi sentite al riguardo? Prendete questa emozione e lavorateci.

1. *Di che cosa siete infelici?* Oppure arrabbiati, preoccupati, in colpa e così via? Questa domanda serve a identificare il tipo di emozione e a che cosa si riferisce.

   _____

   _____

   _____

   _____

   _____

2. *Perché siete infelici di quella certa cosa?* Il motivo della vostra infelicità non è mai ciò di cui siete infelici. La causa sono sempre le vostre credenze.

   _____

   _____

   _____

   _____

   _____

3. *Che cosa temete che accadrebbe se non foste infelici di quella cosa?* Questa domanda, apparentemente

sciocca, vi aiuta a capire se avete paura che la sensazione di infelicità vi abbandoni. Spesso siamo riluttanti a lasciar andare un nostro modo di sentire, anche se è doloroso.

_____

_____

_____

_____

_____

4. *Credete in quello che provate?*

_____

_____

_____

_____

5. *Perché credete in quello che provate?*

_____

_____

_____

_____

6. *Che cosa temete che accadrebbe se non ci credeste?* Spesso conserviamo una credenza o una con-

vinzione anche se è limitante o se provoca infelicità. Ora che avete visto le convinzioni che vi limitano, continuano a sembrarvi reali?

_____

_____

_____

_____

_____

A questo punto vedete le cose con molta più chiarezza. Se c'è ancora qualcosa che vi ostacola, oppure ogni volta che si presenta una nuova emozione, ripetete semplicemente il processo. Il metodo Option è un modo davvero semplice e liberatorio per sciogliere l'energia bloccata e cancellare le credenze limitanti. Una volta liberi, potete usare la Chiave per attirare tutto ciò che volete.

Metodo 3

Portare alla luce i vostri pensieri

*Se agissimo tutti in base alla convinzione che
tutto ciò che crediamo vero sia vero, resterebbe
ben poca speranza.*

— ORVILLE WRIGHT

L'essenza della Chiave è ripulirvi dai pensieri nascosti e
dalle credenze che attirano quello che non volete. Dite di
voler attirare un partner, ma attirate persone che hanno
scarsa attinenza con voi. Dite di voler attirare la casa perfetta, ma continuate ad abitare in un postaccio. Dite di
voler attirare un lavoro magnifico, ma continuate ad attirare lavori in cui non venite apprezzati.

Il fatto è che attirate esattamente ciò che pensate di
meritare, e quindi ciò che vi aspettate. Il punto è cambia-

re questa struttura mentale nascosta per iniziare ad attirare quello che volete davvero.

Ho verificato che applicando gli strumenti per l'individuazione delle credenze è possibile portare alla luce le convinzioni nascoste che guidano la nostra vita. Sono convinzioni inconsce, ma utilizzando gli strumenti giusti potete scoprirle. Uno di questi strumenti deriva dalla psicologia cognitiva e serve a portare alla luce i vostri pensieri nascosti.

Ho chiesto alla dottoressa Larina Kase di descrivere questo metodo per voi. Larina e io siamo co-autori dell'e-book *How to End Self-Sabotage for Aspiring E-Book Authors* (www.mrfire.com/sabotage/). Ecco l'articolo originale scritto proprio per voi.

I 5 passi per 'ripulirsi' attraverso la terapia cognitiva

Dottoressa Larina Kase

La terapia cognitiva (CT), sviluppata da Aaaron Beck, viene applicata da quarant'anni e costituisce un valido strumento per ripulirvi da qualunque credenza limitante. I materiali con cui lavora la CT sono i pensieri, le emozioni, i comportamenti e le risposte biologiche. Tutti questi elementi interagiscono determinando i vostri stati d'animo e le vostre azioni. Ecco cinque semplici passi per aiutarvi a ripulirvi.

1. Identificate i vostri pensieri negativi, distruttivi e disgreganti. Scriveteli. È come andare a caccia di farfalle con una rete. I pensieri sono rapidi e mutevoli, e in genere non ne siamo consapevoli. Identificare i pensieri accresce la consapevolezza e ci mette in grado di lavorare per cambiarli. Se avete difficoltà a riconoscere i pensieri, fate attenzione ai vostri cambiamenti d'umore. Appena notate un cambiamento d'umore, chiedetevi: "Che pensiero ha appena attraversato la mia mente?". Identificato il pensiero, lavorate al suo cambiamento.

2. Trattate i vostri pensieri come una giuria assolutamente imparziale che deve valutare le prove. Invece di partire dal presupposto che i vostri pensieri dicano la verità, cercate le prove di quello che affermano. Prendete un foglio e dividetelo in tre colonne. Nella prima scrivete: "Pensieri emotivi". Nella seconda: "Prove a favore della loro verità". Nella terza: "Prove a favore della loro falsità". Inserite nelle colonne tutte le prove pro e contro. È come studiare una farfalla con interesse scientifico, senza dare nessun tipo di giudizio.

3. Sottoponete a ulteriori verifiche l'eventuale verità di un pensiero. Se pensate ad esempio: "Ogni volta che parlo in pubblico faccio la figura dello stupido", verificatelo parlando a vari tipi di pubblico. È vero che fate *sempre* la figura dello stupido? Questo procedimento vi aiuta ad affrontare le cose di cui avete paura e ad acquistare fiducia vedendo, con il tempo, che i risultati temuti non si sono verificati.

4. Ora rivedete la veridicità di un vostro pensiero in base alle prove iniziali e alle verifiche successive. È molto probabile che, alla luce dei fatti, quello che pensavate si dimostri falso. Se invece continua a sembrarvi vero, chiedetevi in che modo potete gestirlo. Scoprirete di essere pieni di risorse e di esse-

re in grado di gestire quella situazione difficile quando si presenta.

5. Comprendete che i pensieri che vi bloccano o vi limitano sono inutili. Non stanno facendo il vostro bene. Di per sé i pensieri non possono farvi del male, quindi non fate resistenza, ma ricordate che più fate resistenza a qualcosa e maggiori sono le probabilità che vi accada. Se cercate di reprimere un pensiero, ritornerà come una canzone che non riuscite a togliervi dalla testa. Quando un pensiero ritorna, lasciatelo essere. Se ne andrà come una farfalla che prima o poi vola via. Allora sarete puliti.

Ora applicate il metodo di Larina a un vostro specifico pensiero limitante:

_____

_____

_____

_____

_____

_____

_____

_____

_____

_____

_____

_____

_____

_____

_____

_____

Metodo 4

Storie ipnotiche

> *C'è qualcosa che sapete, ma che non sapete di*
> *sapere. Quando scoprite ciò che sapevate, ma*
> *che non sapevate di sapere, sapete di poter*
> *incominciare.*

— MILTON H. ERICKSON

Un altro strumento potentissimo è esattamente quello che state facendo in questo momento: leggere.

Leggere libri che espandono la mente vi aiuta a liberarvi dalle credenze limitanti. Libri come *The Secret*, di Rhonda Byrne; *The Magic of Believing*, di Claude Bristol; *The Dark Side of the Light Chasers*, di Debbie Ford; *The Law of Attraction*, di Jerry ed Esther Hicks; *The Success Principles*, di Jack Canfield; e i miei *Zero Limits* e

The Attractor Factor, vi aiutano a capire che è possibile una realtà differente.

Uno dei motivi per cui vi aiutano a ripulirvi è che vi insegnano a credere nei miracoli. Inoltre agiscono a livello inconscio, trasmettendo un messaggio di speranza e di rinnovamento.

Essenzialmente, sono quelle che chiamo 'storie ipnotiche'. Ho parlato di questo argomento in due libri, *Hypnotic Writing* e *Buying Trances*. Sono un ipnologo e conosco il valore di una buona storia che entra nella mente e cambia le convinzioni. È un processo semplice e privo di sforzo. Tutto ciò che dovete fare è rilassarvi e leggere.

Uno dei migliori ipnotisti del pianeta è Mark Ryan. Assieme, abbiamo creato una serie di DVD con molte storie che vi trasformano interiormente soltanto guardandoli (www.subliminalmanifestation.com/). Ho chiesto a Mark di scrivere una storia ipnotica apposta per voi. Non dovete fare altro che leggerla. Non pensate, non sottolineate, non prendete appunti. Leggetela e basta.

Il super-segreto per ripulirsi

Mark J. Ryan

Il segreto è: iniziate da dove siete.

Nella mia vita ho avuto molte auto, ma tutte di seconda o terza mano. Avevano sempre dei problemi. Le facevo riparare, le usavo il più possibile, le rivendevo e ne compravo un'altra usata.

Quando c'erano troppe cose che non andavano, era il momento di rivendere l'auto. Una volta ne avevo una con un numero impressionante di chilometri e avevo deciso di tenerla ancora per qualche mese e poi sbarazzarmene. Incominciò a guastarsi con incredibile frequenza, come se sapesse che volevo liberarmene. Ormai le riparazioni erano troppe e stavo pensando di rivenderla per molto meno della mia ultima valutazione. Ma una vocina interiore mi disse che dovevo far riparare i guasti principali, invece di trasferirli al nuovo proprietario.

Che cosa? Dovevo andare contro le dinamiche stesse dell'universo? Che cosa ci avrei ricavato?

Da un lato avrei perso dei soldi, ma dall'altro investivo in una cosa buona per i miei simili.

Decisi di accettare il consiglio dell'universo... e investii.

Tra riparazioni e gomme nuove spesi 1.000 dollari per una macchina che non potevo rivendere a più della stessa cifra. Quando si presentò un acquirente, si era prodotto un altro guasto: un piccolo foro nel serbatoio.

Glielo dissi e aggiunsi che mi sarei incaricato io di ripararlo, ma lui voleva la macchina subito e io abbassai il prezzo a 750 dollari. Fu molto contento, soprattutto quando gli feci vedere la lista delle riparazioni che avevo fatto.

Ricordatevi di questa storia mentre vi racconto la prossima.

Anche in questa nuova storia scoprii un modo magnifico per ripulirmi dando ascolto alla vocina dentro di me, esattamente come avevo fatto con la macchina.

Vivevo da 14 anni in una casa che da oltre un secolo apparteneva alla mia famiglia e volevo andarmene.

Ero affezionato a quella casa, per i meravigliosi ricordi che conservavo di mia nonna, ma ormai aveva dei problemi strutturali e una quantità di piccole cose che non andavano e di cui non avevo intenzione di occuparmi.

Mi misi a lavorare sodo per trasferirmi in California. Volevo andarmene per sempre dai rigidi inverni dello stato di New York e dai problemi della casa. Feci alcuni viaggi in California, in vacanza e per affari, ma non mi decidevo a traslocare.

Un giorno, mentre ero a letto e continuavo a preoccuparmi per la casa, sentii una vocina che mi chiedeva che lavori avrei fatto se avessi deciso di restare lì a lungo. Non che lavori avrei fatto se avessi voluto consegnarla in condizioni decenti a un possibile acquirente, ma se *io* avessi deciso di continuare ad abitare lì!

Lottai contro quel pensiero con tutte le mie forze. Non volevo assolutamente pensarci, per paura di farmi prendere dall'entusiasmo all'idea di tutte le migliorie che avrei potuto apportare a un posto dove non avevo più intenzione di vivere.

Sembrava un paradosso, ma sapevo benissimo che, se volevo la casa dei miei sogni in California, dovevo rimanere nel presente, capire che cosa mi rendeva felice nel presente ed essere grato per quella felicità. Dovevo essere felice lì e ora, in quella situazione, in quella casa.

Molti creano a partire dalla struttura mentale di ciò che *non* vogliono. Vogliono che qualcosa sparisca, che il problema scompaia, che si presenti una via di fuga.

Ovviamente, l'universo sa benissimo che non è quello che vogliamo davvero. Sa che attirare la fuga da qualcosa non è creare qualcosa di nuovo. Sa che non stiamo creando da uno stato di pulizia interiore.

Cercare una via di fuga non farà che creare un'altra situazione da cui prima o poi vorremo fuggire.

Il pensiero di essere in un posto che ci piace, in un posto in cui siamo perfettamente soddisfatti nel presente, attira ancora più posti in cui essere perfettamente soddisfatti. Crea una nuova realtà sempre più ricca di questa qualità.

Perciò presi un grande foglio di carta gialla e scrissi una lista di sette cose che mi avrebbero fatto sentire a mio agio in quella casa e mi avrebbero aiutato ad amarla di nuovo (chissà, forse la casa mi stava convincendo a darle le cose che voleva prima di lasciarmi andare).

Appena iniziai a scrivere la lista sentii che qualcosa si apriva dentro di me, qualcosa di leggero e luminoso, che mi restituì l'emozione di amare quella casa. Il senso di difficoltà e di chiusura che mi aveva fatto venire voglia di andarmene era diventato un senso di apertura. Anche la mente si aprì assieme al cuore a un sentimento di amore per la casa nel momento presente.

Più stavo con quella sensazione e più provavo apertura. Mi arrivarono messaggi di cose da riparare a cui non avevo assolutamente pensato, ad esempio il tetto.

Stavo attirando la soluzione dei problemi che costituivano il mio momento presente e non la casa dei miei sogni in California.

Un anno dopo ritrovai quel grande foglio giallo con la mia lista. La rilessi. Per la prima volta da quando avevo preso l'abitudine di scrivere i miei desideri e le mie intenzioni, tutti i sette punti che avevo scritto si erano realizzati. La cosa più sorprendente era che erano andati tutti a posto con estrema facilità. Per ogni problema era arrivata la persona giusta e mi aveva aiutato a risolverlo.

Il portico davanti alla casa aveva bisogno di venire scrostato e ridipinto. Un giorno, il ragazzo delle consegne di un negozio mi disse: "Ryan, quando ti deciderai a ridipingere il portico?". "Quando troverò qualcuno che lo fa", risposi. Il ragazzo si offrì di farlo lui per 50 dollari, vernice a mio carico. Un problema risolto! Già che c'era, ridipinse anche il garage e la tettoia sul retro per altri 250. Un magnifico affare!

Un'altra volta, un amico mi fece notare che le tegole del tetto andavano sostituite (altra voce sulla mia lista). Si offrì di fare lui il lavoro, ma il costo superava le mie possibilità. Intervenne un parente, mi fece un prestito vantaggioso e diedi inizio ai lavori.

Mentre sostituiva le tegole, scoprì che il vero problema erano le termiti, che avevano mangiato le travi del tetto. Le travi andavano sostituite interamente.

Anche questa volta il costo era al di là delle mie possibilità, ma nello stesso tempo il suo preventivo era la metà di quello che mi avrebbe fatto chiunque altro, e sentii che potevo farcela.

Aggiunse che mentre sostituiva le travi poteva approfittarne per apportare delle migliorie strutturali. Mentre mi descriveva la sua idea mi accorsi che corrispondeva esattamente a quella che *io* avevo in mente da oltre un anno. Avevo attirato la persona giusta.

A sua volta, mi disse di avere la sensazione che qualcuno lo avesse mandato appositamente da me. Lavorò in modo meraviglioso, perché sapeva che quel suo meraviglioso presente avrebbe attirato un meraviglioso futuro. Sapeva che, aiutando me, aiutava se stesso.

La rimozione del pantano che si era accumulato nel sottotetto a causa delle infiltrazioni migliorò anche le condizioni igieniche della casa. Una guarigione fornita dall'universo appena avevo fatto quello che dovevo fare.

Rileggendo quella lista, capii il segreto. Capii in che

cosa era cambiato il mio atteggiamento.

Oggi la casa ha un altro aspetto e trasmette un'altra sensazione, e tutti i vicini si complimentano con me.

Un giorno ho saputo che un mio amico doveva trasferirsi a Hollywood per uno show televisivo tutto suo e mi ha chiesto se volevo la sua casa. Provate a immaginare la mia risposta!

Inoltre, anche la mia compagna vuole trasferirsi in un posto caldo. Ha un accordo con il padre di suo figlio per andare a vivere nella stessa città, in modo da occuparsi entrambi dell'educazione del bambino. Hanno litigato per mesi sulla scelta del posto. Ogni volta che lei ne proponeva uno, lui non era d'accordo. Proprio ieri, lui le ha proposto la California, a sud di San Francisco, esattamente dove mi è stata offerta una casa. Lei non gli aveva mai parlato della mia idea e ha trovato davvero sorprendente che l'ex marito le abbia proposto la stessa zona di cui le avevo parlato io.

La California ci aspetta!

Il segreto è tutto qui: tutto ciò che vi serve è già nel momento presente!

Che cosa occorre per farvi felici nel presente, nel luogo in cui siete adesso e in questo preciso momento? Lasciate correre la vostra immaginazione...

...e agganciatela a qualcosa che esiste già nella vostra attuale realtà. Come potete trasformarla nella migliore realtà possibile? Come fare per migliorare la vostra realtà, che si tratti della prossima persona che entrerà nella vostra vita, di un nuovo lavoro, una nuova casa, una nuova auto o il posto nella fila allo sportello in banca? E soprattutto, come potete renderla migliore *per voi stessi*?

Ancora un consiglio. Quando lasciate andare il vostro personale 'sogno californiano' per ripulire la vostra realtà qui e ora, *ricordate che l'universo conosce i vostri veri desideri*. Quando lasciai andare la casa dei miei sogni in California e mi diedi da fare per creare una realtà migliore nel mio presente, capii molto meglio che cosa volevo in California e come volevo realmente *sentirmi* quando fossi stato laggiù.

Invece di creare il mio sogno californiano per fuggire dalla realtà, creai amore nella mia realtà presente. Creando amore, e *dando* quell'amore alla mia realtà presente, creo una realtà che attira sempre più amore. I veri sogni devono essere alimentati dall'amore.

Invece di scaricare un'auto piena di guai a un compratore ignaro, mi incaricai di ripararli e 'creai' una macchina che non mi avrebbe fatto sentire a disagio se l'avessi venduta a un altro. Dando amore a quella macchina, creai spazio perché nella mia vita si manifestasse una macchina che amavo.

Create amore nella vostra realtà presente. Cercate di capire come esprimere quell'amore nel modo giusto per voi. Allora sarà il vostro sogno più grande a incaricarsi di farvi diventare il protagonista di quel sogno diventato realtà.

La storia di Mark è bellissima. Mentre scende nel vostro inconscio, voglio raccontarvene una mia.

Nell'aprile del 2007, Mark era venuto a stare da me per qualche giorno. Parlammo di tutto, felici di condividere le nostre storie davanti a un buon sigaro e a un ottimo whisky.

Un giorno decidemmo di andare a trovare dei comuni amici. Io non ero sicuro della strada e nemmeno lui. Rise e mi disse: "Hai visto l'episodio di *Star Trek*, *The Next Generation*? Quello in cui sono su un pianeta sconosciuto e chiedono a Jean-Luc Picard dove devono andare?".

"No, ma mi piacciono queste storie. Raccontamela".

"Jean-Luc risponde che devono salire sulle montagne più vicine e poi piegare a sinistra".

"E...".

"E la donna che lo accompagna guarda la mappa e dice: 'Non hai la minima idea di dove siamo, vero?' ".

Scoppiai a ridere mentre Mark continuava.

"Allora Jean-Luc ammette che, essendo il comandante, deve sembrare sicuro, anche se non lo è".

Quella storia mi piacque. Guidai cercando di sembrare sicuro di quello che facevo, anche se non sapevo dov'ero né quale direzione dovevo prendere. Quel gioco di ruolo rese la giornata ancora più divertente e mi diede ancora più forza.

Il cellulare di Mark squillò: erano i nostri amici che volevano sapere a che ora saremmo arrivati. Gli dissi di rispondere: "Alle 18 e 23".

Non sapevo ancora se e come ci sarei arrivato, ma in quel modo vivevo una meravigliosa avventura, in cui ero il comandante di una nave spaziale.

Trovai la strada, non c'era traffico e arrivammo qualche minuto prima delle 18 e 23.

Metodo 5

Ti amo

Siamo la somma delle nostre esperienze, il che equivale a dire che siamo incatenati al nostro passato. Ogni volta che abbiamo paura o temiamo di non farcela, se guardiamo attentamente ci accorgeremo che la causa è il ricordo di una paura o di una difficoltà passata.

— MORRNAH SIMEONA

Tre anni fa sentii parlare di un guaritore hawaiano che aveva guarito i reclusi di un intero manicomio criminale senza riceverli singolarmente nel suo studio. In seguito lo conobbi, studiai con lui e scrivemmo assieme un libro, *Zero Limits*. Il dottor Ihaleakala Hew Len mi insegnò un metodo molto potente per liberarsi delle convinzioni limitanti.

Il nucleo di questo metodo sono due semplici parole rivolte al Divino (a Dio, alla vita, al Tao o comunque vogliate chiamare il potere superiore dentro e attorno a noi): "Ti amo". Basta questo per innescare la guarigione. Il suo metodo deriva da una forma di spiritualità hawaiana chiamata *ho'oponopono*. Non lo descriverò nella sua completezza, perché gli ho già dedicato tutto *Zero Limits*. Ma vi spiegherò come usarlo, perché possiate applicarlo anche voi.

L'idea di base è che qualunque vostra azione deriva o dall'ispirazione o dalla memoria. L'ispirazione è un messaggio diretto dalla Divinità. La memoria è un condizionamento del vostro inconscio. Bisogna ripulire la memoria, per poter agire in base ai segnali ricevuti dal Divino.

Ad esempio, le reazioni che provate leggendo questo libro si basano probabilmente sulla vostra memoria. Se siete in disaccordo con me, è a causa di un vecchio programma che si oppone a quello che dico. Se invece siete d'accordo con me, è a causa di un vecchio programma che è allineato con quello che dico. In entrambi i casi non siete né oggettivi né precisi, a causa del bagaglio che vi portate dietro. Questo bagaglio sono i ricordi. Per ripulirli, è sufficiente dire: "Ti amo".

Secondo il dottor Len, semplicemente dire 'ti amo' al Divino mette in moto il processo di pulizia. Da un lato, queste due parole suscitano dentro di voi un sentimento corrispondente. Dall'altro, Dio le ascolta e vi manda un segnale che ripulisce tutti i ricordi che si oppongono allo stare nel momento presente in totale chiarezza e consapevolezza.

Può darsi che, quando vi avvicinate a questo metodo per la prima volta, non vi dica molto. Il motivo è che la vostra memoria è in conflitto con quello che sto condividendo con voi. La vostra visione del mondo può non corrispondere alla mia. Se siete confusi, siate consapevoli della vostra confusione e dite semplicemente 'ti amo' al Divino (o a quello che significa per voi).

Mentre lo dite, anch'io dico 'ti amo' scrivendo queste parole.

Il metodo del dottor Len è basato sul ripulire tutti i brutti ricordi e la negatività per trasformare voi stessi e gli altri. Può sembrare strano, ma se vi liberate dei vostri problemi, gli stessi problemi scompaiono anche negli altri.

Tutto sta nel cancellarli dicendo semplicemente 'ti amo'. Ditelo continuamente. Ci sono altre frasi utili ('Mi dispiace', 'Ti prego, perdonami' e 'Grazie'), ma 'ti amo' è tutto ciò che vi serve. Io lo ripeto in continuazione da tre anni e la mia vita è diventata meravigliosa. Sono in uno stato di beatitudine attimo per attimo.

Una volta imparato questo metodo, ho iniziato ad applicarlo a tutto: nel traffico, al telefono, davanti a un pubblico, nella vasca da bagno, fumando un sigaro, camminando, facendo la fila, provando un dolore, ricordando qualcosa e così via. Le dicevo di rado ad alta voce e in genere le ripetevo mentalmente. 'Ti amo' divenne il nuovo chiacchiericcio della mia mente. Ha trasformato la mia vita da una continua preoccupazione a una continua meraviglia.

Dato che sono un imprenditore e mi piace la spiritualità pratica, volevo verificare se il metodo funzionava anche con le vendite e in altri campi finanziari. Ogni volta che preparavo un prospetto per vendere un mio prodotto, lo caricavo di amore. Ogni volta che scrivevo un nuovo libro, compreso quello che state leggendo, continuavo a ripetere nella mente 'ti amo'.

Le vendite dei miei libri e dei miei prodotti aumentarono vertiginosamente. *Zero Limits* divenne un bestseller su Amazon sei mesi prima di venire pubblicato e lanciato sul mercato. Amazon ricevette così tante ordinazioni che lo inserì nella lista dei libri più venduti.

Ma i miei esperimenti non si fermarono qui.

Volevo essere sicuro che il metodo funzionasse anche per gli altri e non solo per me, e così lo insegnai ai miei amici. Bill Hibbler, che ha scritto con me *Meet and Grow Rich*, all'inizio era scettico. Poi provò a caricare di amore i suoi prodotti e i suoi acquirenti, e dopo un po' mi disse:

"Nei primi quattro giorni di gennaio, le mie vendite sono aumentate del 41,39% rispetto ai primi quattro giorni del mese precedente. In quei quattro giorni non ho promosso direttamente nessuna vendita, mi sono limitato a leggere il tuo libro e a ripetere 'ti amo' per tutta la giornata".

La crescita delle vendite riguardava il suo sito (http://create-ultimate-ebooks.com), di cui in quei giorni *non* si era occupato per niente.

Com'era possibile?

Come fa la ripetizione di un mantra di purificazione come 'ti amo' ad aumentare le vendite?

Perché le cose non avvengono 'là fuori'. Il mondo è una proiezione di quello che sentite dentro. Se sentite amore, attirate amore. Poiché un elemento dell'amore è la gratitudine, sentendo gratitudine attirate altre cose di cui sentirvi grati. Questo è il nucleo di *The Attractor Factor* e ovviamente del film *The Secret*. Ricevete quello che sentite.

Tutto qui.

Nel profondo, io voglio amore. Tutti quanti vogliamo amore. Dicendo 'ti amo' vi ripulite e irradiate un'energia che gli altri percepiscono. Il risultato è: più vendite.

Siete ancora scettici?

Provate a vederla in questo modo: anche se vi sembra qualcosa di assolutamente folle, che male vi fa ripetervi mentalmente 'ti amo' mentre telefonate, scrivete mail, offrite i vostri prodotti, lavorate e vi occupate dei vostri impegni durante tutta la giornata? Come minimo, avrete giornate molto migliori.

Fate la prova.

A proposito: "Ti amo".

Ecco un esempio di come funziona.

Quando scoprii di avere dei linfonodi che potevano essere tumorali, all'inizio mi prese il panico. L'oncologo mi aveva dipinto un quadro preoccupante. Voleva farmi immediatamente una biopsia, senza nemmeno avvisarmi dei rischi a lungo termine che una biopsia comporta. Ho già detto che mi rivolsi ad amici e guaritori per avere aiuto. Misi in pratica i loro consigli, ma applicai anche il metodo di purificazione 'ti amo'.

Mentre ero steso sul letto e ripetevo silenziosamente 'ti amo' alla Divinità, mi venne un'improvvisa ispirazione. Capii che quel cambiamento nel mio corpo, qualunque fosse la sua natura, era un dono. Se era un dono, che cosa mi donava? Molti malati di cancro o di altre gravi malattie dicono che la loro malattia si è rivelata un potente elemento di risveglio e di trasformazione. Qual era il dono che la mia malattia aveva in serbo per me?

Mentre continuavo a ripetere 'ti amo' visualizzai i miei noduli, che avevo visto nelle lastre della risonanza. Li visualizzavo e parlavo con loro. Chiesi ai linfonodi: "Che cosa volete dirmi? Che lezione volete che impari?".

All'improvviso si formò l'immagine di mia moglie, morta tre anni prima. Il nostro matrimonio era durato vent'anni e lei era la mia migliore amica. Rivolsi anche a lei le parole 'ti amo' e provai un dolore straziante. Dopo la sua morte, avevo pianto ogni giorno per un anno intero. Poi il dolore era passato, ma mi mancava ancora terribilmente.

Iniziai a sentire che i linfonodi erano un simbolo del mio attaccamento per lei. Nelle lastre della risonanza, i linfonodi sembravano piccole creature appese dentro di me. Sembravano una metafora di qualcosa dentro la mia mente. Non avevo ancora lasciato andare del tutto mia moglie, una parte di me continuava a tenerla dentro.

Continuai a ripetere 'ti amo'. Altre parole presero forma: "Mi spiace", "Ti prego, perdonami". Io ripetevo quelle parole e l'immagine dei linfonodi diventava sempre più piccola, finché scomparvero del tutto.

Dopo una ventina di minuti di questa purificazione, mi sentii ripulito. Non potevo sapere se in termini medici i linfonodi erano spariti, ma interiormente sapevo che era così. Avevo mandato loro amore, avevo ascoltato il loro messaggio e li avevo lasciati andare. La successiva risonanza rivelò che c'erano ancora, ma erano diventati completamente innocui.

L'altro ieri ho incontrato un insegnante di sostegno di San Antonio che lavora con bambini con problemi di vario tipo. Ha letto *Zero Limits* e ha iniziato a praticare il metodo 'ti amo'.

Mi parlò di uno dei suoi bambini. Era praticamente catatonico, non parlava e dalla bocca gli usciva continuamente un filo di saliva. L'insegnante decise di staccare momentaneamente l'attenzione dal bambino e di rivolgerla all'interno di sé, ripetendo 'ti amo' e indirizzando mentalmente quelle parole al bambino.

Poi gli propose di lavorare assieme a un problema di matematica e, con suo immenso stupore, il bambino rispose e disse: "Sì, voglio provarci".

Lavorarono assieme per la mezz'ora successiva, non era mai accaduto prima. L'insegnante aveva attribuito tutto il merito a quel metodo di purificazione. Invece di lavorare all'esterno, e di cercare di cambiare il ragazzo, aveva lavorato dentro se stesso. Cambiato lui, era cambiato anche il bambino.

Questo metodo da solo può fare miracoli.

Pensate a qualcosa o a qualcuno che vi sta dando dei problemi. Potrebbe essere la salute o un collega di lavoro. Non importa chi o che cosa. Quando avete scelto, fate il seguente esercizio.

Portate la cosa o la persona nella vostra consapevolezza e dite mentalmente: "Ti amo". Potete indirizzare queste parole direttamente al Divino. Non importa se non ci credete. Date al processo la vostra fiducia e continuate. Tutto ciò che dovete fare è ripetere 'ti amo'. Ripetendo queste parole inizierete a sentire amore e trasformerete quella cosa o quella persona.

Ricordate che gli altri non devono sapere che cosa state facendo. Come dice il dottor Len, non c'è un 'là fuori'. Tutto è dentro di voi. Tutto è nel vostro rapporto con il Divino. E tutto ciò che dovete fare è purificare questo rapporto e pronunciare queste due piccole parole.

Dopo averlo fatto, annotate la vostra esperienza qui o nel vostro diario.

_____

_____

_____

Metodo 6

'Picchiettare via' i problemi

La causa di tutte le emozioni negative è un malfunzionamento nel vostro sistema energetico.

— GARY CRAIG

Anni fa soffrivo di attacchi di panico. Arrivavano quando meno me lo aspettavo ed erano sempre sgradevoli. Prima di capire che ero io a crearli inconsciamente, cercai di guarire in tutti i modi. Ma il metodo migliore per ripulirmi dalle mie paure fu così semplice da sembrare incredibile.

Me lo insegnò Roger Callahan, che l'aveva chiamato Thought Field Therapy (TFT) e l'aveva diffuso in una serie di DVD: *Eliminate Fear of Public Speaking*. Consiste nel battere con le dita su determinati punti del viso, del petto e delle braccia. Mentre si batte su quei punti, si ripetono delle frasi precise. Non riuscivo a credere che quel semplice metodo avrebbe funzionato, anche se lo speravo con tutto il cuore. Perciò provai e *funzionò*. E funziona ancora. Tutte le volte.

Iniziai a studiare Thought Field Therapy e i suoi successivi sviluppi, come Emotional Freedom Techniques (EFT). Oggi ci sono centinaia di insegnanti di EFT e migliaia di persone che mettono in pratica questo metodo. Uno di questi è Brad Yates.

Brad e io creammo un seminario dal titolo Money Beyond Belief (www.moneybeyondbelief.com), in cui insegnavamo questo metodo per 'picchiettare via' le credenze inconsce riguardo al denaro. Fu anche ospite di un mio seminario in cui insegnavamo ad attirare un'automobile nuova (www.attractnewcar.com). Ho chiesto a Brad di scrivere per voi come fare per liberarvi da tutto ciò che vi blocca. Ecco il suo dono per voi.

Ripulirsi con l'EFT

Brad Yates
(www.bradyates.net)

Un fattore del processo di manifestazione dei vostri desideri a cui spesso non si dà attenzione è il ripulirsi interiormente. Molte tecniche relative alla Legge dell'Attrazione vi dicono di concentrarvi su ciò che volete realmente, di entrare in contatto con la sensazione e poi di lasciar andare e assistere alla manifestazione della cosa che avete chiesto.

Molti però aspettano e aspettano, diventando sempre più frustrati perché la cosa *non* si manifesta.

Il problema è che l'80-90% del nostro pensiero è inconscio. Anche se per brevi momenti possiamo focalizzare energia positiva su ciò che desideriamo, entrando davvero in armonia vibratoria con quella cosa, per la maggior parte del tempo siamo soggetti a pensieri e sensazioni molto più profonde. Per sapere con che cosa siete davvero interiormente in armonia, guardatevi attorno e osservate quello che avete. Se non corrisponde a quello che dite di volere, significa che non siete in armonia con ciò che dite di volere.

La buona notizia è che non significa che la Legge dell'Attrazione non funzioni per voi, perché funziona sempre. Significa che in realtà avete convinzioni conflittuali riguardo a ciò che volete. Queste convinzioni conflittuali si possono ripulire.

Esistono vari metodi per ripulirvi dalle credenze inconsce limitanti. Nello show *Oprah* sul film *The Secret*, Jack Canfield presentò alcune di queste tecniche, tra cui le Emotional Freedom Techniques (EFT), lo strumento che io utilizzo. Questo metodo ha lo scopo di ripulire i blocchi emotivi e psichici: è semplice, efficace, in genere molto rapido e opera a livello del collegamento mente-corpo. È possibile applicarlo da soli e sempre più persone scoprono nelle EFT un prezioso strumento per attivare la Legge dell'Attrazione in modo conscio, ripulendo gli elementi conflittuali inconsci.

Il metodo EFT si basa sulla medicina tradizionale cinese e usa le vie energetiche, note come meridiani, usate nell'agopuntura. Le emozioni negative, che ci impediscono di attirare ciò che a livello conscio diciamo di volere, sono prodotte da un malfunzionamento di questo sistema energetico. Battendo su alcuni punti chiave, riequilibriamo l'energia e ripuliamo i blocchi. È anche la tecnica di riduzione dello stress più efficace che conosco.

L'universo è infinita abbondanza: potete avere tutto quello che volete. La quantità di ciò che non attirate corrisponde esattamente alla quantità delle vostre resistenze. La causa più comune della resistenza all'abbondanza è la paura di uscire dalla nostra zona di sicurezza o la paura di non meritarla. Spesso, una combinazione di entrambe.

Ecco alcuni suggerimenti per iniziare a usare il metodo EFT per ripulirvi dalle vostre credenze limitanti. Si tratta semplicemente di battere con due dita su determinati punti situati lungo i meridiani per stimolarli. Il primo punto è sul taglio della mano (quello che usate per fare karate). Gli altri sono:

- L'inizio delle sopracciglia
- L'angolo dell'occhio
- Sotto l'occhio
- Sotto le narici
- Sotto la bocca (all'inizio del mento)
- La giunzione delle clavicole
- Dieci centimetri sotto l'ascella
- La sommità della testa

Troverete istruzioni più dettagliate sul sito www.bradyates.net, cliccando su EFT.

Per iniziare chiudete gli occhi, fate un profondo respiro e chiedetevi: "Come mi sentirei se avessi......... (può essere qualunque forma di abbondanza: una nuova casa, una nuova auto e così via)?". Sentite la sensazione fisica corrispondente all'avere quella cosa, assieme agli eventuali pensieri che si oppongono al riceverla. Valutate il vostro grado di resistenza su una scala da 0 a 10.

Picchiettate sul taglio della mano (quello con cui fate karate) e dite: "Anche se penso che per me non vada bene avere......... mi amo e mi accetto profondamente e totalmente".

Ora battete sui punti che ho indicato, dicendo ogni volta: "Per me non va bene avere...........".

Fate un respiro profondo e sentite se la resistenza è diminuita. Continuate così finché sentite che la resistenza è scomparsa.

Ora stabilite, su una scala da 0 a 10, quanto sentite di meritare quella certa cosa. Ripetete lo stesso esercizio dicendo ogni volta: "Anche se non sento di meritare......... mi amo e mi accetto profondamente e totalmente".

Forse vi chiederete perché usare frasi negative. Non si ripete sempre di concentrarsi solo sul positivo?

Ma io vi chiedo: se versate qualcosa sul pavimento, sarebbe ragionevole ignorare la macchia e concentrarvi solo sulla parte del pavimento che è pulita? Come potreste ripulire la vostra confusione mentale se non la togliete direttamente? Ripulitela, sbarazzatevene e donatevi la libertà di fare quello che volete senza essere costretti a fingere che la confusione sia svanita.

Ripulendovi dalle credenze limitanti, vi date la libertà di essere in armonia vibratoria con quello che desiderate davvero, anche senza esserne continuamente coscienti.

Ancora una cosa. Il metodo EFT è molto efficace anche in associazione con altri metodi per ripulirsi. Io lo associo anche allo *ho'oponopono* e mentre batto sui vari punti dico: "Mi dispiace. Ti prego, perdonami. Grazie. Ti amo". Provate anche voi.

Per saperne di più su questo metodo, leggete il testo che ho scritto assieme a Joe, *Money Beyond Belief*, sul sito www.moneybeyondbelief.com. Anche se non è il denaro il vostro problema, gli stessi blocchi che vi impediscono di attirare denaro vi impediscono anche di attirare tutte le altre cose. Voi meritate abbondanza. Perciò, concedetevela.

Metodo 7

Nevillizzatelo

*Il mondo è l'immaginazione umana fluita
all'esterno.*

— NEVILLE GODDARD

Uno dei metodi più potenti per attirare ciò che volete e per rimuovere qualunque ostacolo è quella che chiamo 'nevillizzazione'. È una parola coniata da me in omaggio a Neville Goddard, un mistico delle Barbados che ha scritto molti libri, tra cui *Your Faith Is Your Fortune*, *The Power of Awareness*, *Immortal Man* e *At Your Command*.

Neville afferma che creiamo la nostra realtà attraverso l'immaginazione. Quando vogliamo cambiare qualcosa nella nostra vita, lo facciamo immaginando la nuova esperienza. Ma aggiunge subito che l'immaginazione, da sola, non è sufficiente. Occorrono altre due cose: sentire il risultato finale e sentirlo come se fosse già avvenuto.

Molti pensano che, se vedono qualcosa nella mente, quella cosa accadrà. Ma, per accelerare la sua manifestazione, dovete anche provare come vi sentireste a cose fatte. In altre parole, immaginare l'auto che desiderate è una cosa; immaginare come sarebbe *averla già* è un'altra. È quest'ultimo atteggiamento che accelera la Legge dell'Attrazione.

In un discorso del 1969, Neville disse:

"Se vedete una situazione come esterna a voi, rimanete intrappolati nelle sue ombre, perché chiunque risponda alla vostra immaginazione è un'ombra. Come potrebbe un'ombra creare qualcosa di reale nel vostro mondo? Non appena date a un altro il potere di creare, avete trasferito su di lui un potere che appartiene di diritto a voi. Gli altri sono solo ombre che testimoniano quello che avviene dentro di voi. Il mondo è uno specchio che riflette continuamente ciò che fate dentro di voi".

Neville insegna che il vostro mondo esterno è una proiezione del vostro mondo interno. Cambiate l'interno e cambierete l'esterno. Se volete attirare qualcosa, dovete farlo nella vostra dimensione interiore. E lo fate attraverso l'immaginazione.

Ecco un esempio di come funziona.

Quando mi invitarono come ospite allo show *Larry King Live*, feci salti di gioia. Ma confesso che ero anche nervoso. Sarei apparso in diretta sulla CNN davanti a milioni di spettatori. Emersero tutte le mie paure e i miei dubbi su me stesso. E se facevo la figura dello stupido? E se mi mettevo a balbettare? E se la mia mente andava in palla? E se mi sentivo soffocare? E se a Larry non piacevo? E se gli spettatori non erano d'accordo con me?

Per tutto il volo dal Texas a Los Angeles rimasi in contatto con le mie paure. Capii che, più immaginavo scenari catastrofici, e più li avrei attirati nella mia realtà. Avrei usato la Legge dell'Attrazione per attirare quello che non volevo.

Che cosa dovevo fare?

Mi ricordai degli insegnamenti di Neville. Presi carta e penna e iniziai a descrivere come desideravo che andasse lo show. Mi vidi accanto a Larry King e descrissi le mie emozioni e la mia esperienza come se fossero appena avvenute. Feci una descrizione più precisa possibile, la caricai di energia e di emozioni positive, e sentii come già accaduto quello che sarebbe avvenuto di lì a poco.

Ci vollero solo pochi minuti. Poi lessi e rilessi quello che avevo scritto. Ogni volta che lo rileggevo, sorridevo.

Arrivato in albergo, posai il notes sul letto per averlo sempre sotto gli occhi. Quelle parole mi ricordavano continuamente il risultato che desideravo. Le rileggevo, provavo di nuovo la gioia per il modo perfetto in cui si era svolto lo show e mi sentivo sempre più rilassato.

Quella sera, seduto con Larry King davanti alle telecamere, mi sentivo calmo e fiducioso. Risposi alle sue domande, sorrisi, risi e sorpresi il mio intervistatore annunciando che era in lavorazione il secondo episodio del film *The Secret*. Avevo creato l'esperienza che volevo attraverso una 'nevillizzazione'.

Potete farlo anche voi. Descrivete qualcosa nel modo in cui desiderate che accada, ma scrivetela come se fosse già accaduta. Fate finta di scrivere una pagina di diario alla fine della giornata in cui il fatto è accaduto. Entrate nella sensazione positiva, sentite la gioia per il vostro successo. Questo semplice esercizio programmerà lo svolgimento dell'evento nel modo che desiderate.

Volete una nuova casa? Wallace Wattles scrive nel suo *The Science of Getting Rich*: "Vivete con l'immaginazione nella nuova casa, finché si manifesterà materialmente attorno a voi. Godetevi quello che desiderate nella vostra dimensione mentale".

E aggiunge: "Vedetevi realmente e materialmente circondati dalle cose che desiderate, vedetevi mentre le usate, sentite che sono già vostre".

Sia Wattles che Neville ci suggeriscono di usare l'immaginazione per creare il futuro che vogliamo. Ma il trucco è sentire e non solo immaginare. Credo che questo sia un altro segreto perduto della Chiave per attirare ciò che volete. Molti usano soltanto l'immaginazione, dimenticando di caricarla delle emozioni corrispondenti. Sentire una cosa accelera il processo della sua attrazione. Per questo attirate le cose che amate o che odiate. È l'emozione che preme sull'acceleratore.

Neville disse una volta: "State recitando una parte. Se non vi piace, potete cambiarla. Potete entrare nel ruolo di una persona più ricca di quanto foste ventiquattro ore prima. È solo una parte e se volete potete recitarla".

Il modo per cambiare la parte che state recitando consiste nel cambiare il sentire interiore. Immaginate la situazione che volete e la sensazione che la accompagna, come se si fosse già verificata. In questo modo saprete anche che cosa fare, sempre che dobbiate fare qualcosa, per attirare i risultati desiderati.

Neville scrive nel suo *The Power of Awareness*:

> Dovete provare la sensazione che il vostro desiderio si sia realizzato, sentendola con la vividezza sensoriale della realtà. Dovete sentire di stare già sperimentando quello che desiderate. In altre parole, sentire la sensazione di

appagamento per il vostro desiderio realizzato, lasciando che vi possegga completamente, cancellando dalla coscienza qualunque altro pensiero.

È esattamente quello che vi ho chiesto di scrivere: lo scenario completo in tutti i suoi dettagli, come se descriveste una realtà, come se fosse qualcosa che è già accaduto. Ricordate però che l'esperienza potrà essere diversa da come la descrivete 'nevillizzandola', perché state ancora imparando ad attirare le cose. Anch'io sto ancora imparando. State imparando a creare consciamente eventi e situazioni.

Nello spazio che segue, o nel vostro diario, nevillizzate qualcosa che volete attirare. Descrivetelo con la massima precisione. Metteteci tutta la vostra concentrazione. Siete gli sceneggiatori dei vostri sogni. Tutto ciò che vi serve è una penna e l'immaginazione unita al sentire. Divertitevi!

_____

_____

_____

_____

_____

_____

Metodo 8

Ti prego, perdonami

Non chiedetevi di che cosa ha bisogno il mondo. Chiedetevi che cosa vi rende vivi e fatelo. Il mondo ha bisogno di persone vive.

— HOWARD THURMAN

Se avete un blocco in un'area della vostra vita, se non riuscite ad attirare una casa, un lavoro, un partner, un'auto o qualunque altra cosa, la causa potrebbe essere la mancanza di perdono.

Forse non avete perdonato qualcuno. Forse non avete perdonato voi stessi. Non fa differenza. Rimanere attaccati a emozioni passate, memorie o storie, blocca la vostra energia e la vostra capacità di attirare ciò che volete.

In questo caso dovete perdonare.

Anch'io ho avuto delle difficoltà riguardo a questo

punto. Avevo paura che perdonando qualcuno non avrei imparato la lezione che aveva da darmi e sarei stato ingannato un'altra volta. Poi guardai quell'idea e capii che era soltanto un'idea. Non era reale, non era vera, non si basava sui fatti.

Ricordo un cliente che mi doveva una grossa somma di denaro. Non mi pagava e quindi mi stava derubando di qualcosa che mi spettava di diritto. A quel tempo, il mio modello mentale era ancora quello della vittima. Sentivo quella persona e il mondo intero contro di me. La storia dell'umanità è piena di furti e di saccheggi e, pensando che è il più forte che sopravvive, ero convinto che avrei avuto successo negli affari solo comportandomi da tagliagole. Nello stesso tempo, tuttavia, non volevo diventare qualcosa che non mi piaceva. Mi rifiutavo di diventare 'uno di loro'. E così vivevo nell'ansia e nel risentimento.

Ovviamente, l'unica persona a cui stavo facendo del male ero io. Al mio debitore non importava niente di come mi sentivo. Quindi, il rancore danneggiava solo una persona: me.

Lessi un mucchio di libri di auto-aiuto e iniziai ad applicare alcuni dei metodi per ripulirsi che state leggendo in questo libro. A poco a poco capii che potevo lasciar andare il mio risentimento. Che potevo perdonare il mio cliente. Che potevo perdonare me stesso.

E lo feci. Ci credete? Il mio cliente si fece vivo spontaneamente e saldò tutto il suo debito. Ma io non avevo perdonato per essere pagato: avevo perdonato per lasciar andare.

Vediamo più da vicino il perdono e il suo potere di pulizia.

In parte, perdonare è un comportamento egoistico. Dicendo a qualcuno 'ti perdono', acquisite un certo potere su di lui. Siete come un re o una regina che, proclamando 'ti perdono', decreta che l'altro è 'libero' dal vostro risentimento. Questo non è vero perdono; anzi, può essere una forma di manipolazione.

Molto più potente è dire 'perdonami' alle persone che avete danneggiato. C'è una serie televisiva molto bella, *My Name Is Earl*, che parla di un ladro che si risveglia all'idea che fare del bene chiama altro bene. Fa una lista di tutte le persone che ha derubato e inizia a fare cose buone per compensare le sue cattive azioni.

Anni fa, feci anch'io qualcosa del genere. Feci una lista delle persone che sentivo di avere ferito. Restituii il denaro che dovevo, resi degli oggetti che avevo sottratto e chiesi scusa per il mio comportamento. Volevo fare pace con il mio passato. Era una sensazione meravigliosa.

Ma c'è un perdono ancora più profondo del perdonare gli altri e dell'essere perdonati. Il perdono che è uno degli strumenti più potenti e immediati per ripulirsi è perdonare *se stessi*.

L'errore è sempre nella vostra percezione di una persona o di una situazione, non è mai nell'altro. Forse hanno fatto qualcosa che avreste preferito non avessero fatto, ma è il vostro giudizio che causa il conflitto. Lasciando andare il giudizio, liberate voi stessi. E spesso, liberando voi stessi, l'altro fa quello che avevate sempre voluto che facesse. Comunque, la vera motivazione è sempre perdonare voi stessi.

Potremmo chiamarlo perdono radicale. È la comprensione che non è accaduto niente di male. Siete stati voi a giudicare una cosa negativamente, ma agli occhi del Divino ciò che è accaduto è semplicemente ciò che è accaduto. Ormai è finito, è acqua passata, appartiene alla storia. Rimanere attaccati al vostro giudizio riguardo a una persona o a un evento risucchia la vostra energia, energia che invece andrebbe usata per attirare ciò che desiderate.

Nel suo libro *Radical Forgiveness*, Colin Tipping scrive:

> *In genere, con perdono intendiamo 'metterci una pietra sopra'. Finché funziona, va bene.*

Ma se continuiamo a considerarci vittime di un'ingiustizia, cadiamo in due energie in conflitto: il bisogno di condannare e il desiderio di perdonare.

Secondo Tipping, il perdono radicale avviene quando comprendiamo che non è mai accaduto niente di male o di brutto. Qualunque cosa non è accaduta *a* voi, ma *per* voi. È accaduta per aiutarvi a risvegliarvi e a crescere. Fa parte del percorso che vi ha portati dove siete in questo momento. E, dal punto in cui siete in questo momento, potete attirare miracoli.

Ovviamente, la cosa da fare è perdonare.

In che modo?

Dire 'mi perdono' può non essere sufficiente per provocare quel salto di coscienza che cercate. E non dovete dire 'ti perdono' a nessuno, perché nessuno ha colpe. L'altro ha agito semplicemente in base alla sua programmazione ed entrambi avete creato congiuntamente la situazione che vi ha fatto crescere. Quindi, in realtà dovreste *ringraziare* l'altro.

Allora, come si perdona se stessi?

Come spiego nel mio *Zero Limits*, chiedete al Divino di perdonarvi per i vostri errori di giudizio. Possono essere frasi semplicissime, come: "Ti prego, perdonami" o "Mi dispiace". Non occorre dirle ad alta voce e non occorre nemmeno sentirle. È sufficiente pronunciarle mentalmente e rivolgerle al Divino (in qualunque modo lo intendiate). In questo modo iniziate a liberare le energie bloccate dentro di voi.

Non è complicato e non dovete nemmeno capire perché funziona. State semplicemente lavorando a livello dell'anima per sciogliere i blocchi creati dai vostri giudizi. Provate. Dite: "Ti prego, perdonami", o "Mi dispiace", a ciò che dentro di voi sentite come il Divino. Poi entrate nel silenzio e lasciate che il silenzio vi liberi.

Qui sotto o nel vostro diario potete stendere una lista di persone e di eventi che hanno bisogno di perdono.

_____

_____

_____

_____

_____

_____

_____

_____

E soprattutto, ricordate di perdonare voi stessi!

Metodo 9

Il vostro corpo parla

Per ottenere qualcosa, è necessario che la mente si innamori di quella cosa.

— WILLIAM WALTER ATKINSON

Quando venni invitato per la seconda volta al *Larry King Live*, Larry mi chiese: "Gli insegnamenti contenuti nel film *The Secret* possono aiutare una persona drogata?".

"Certo", risposi. "Stanno già aiutando migliaia di persone".

"Ma un drogato?", insistette Larry. "Ha sviluppato una dipendenza di tipo fisico, non è così?".

Spiegai che la mente non è solo nel cervello, ma in tutto il corpo. Il cervello è la centrale operativa, il centro di controllo, ma la mente non è chiusa lì. La mente è in *tutto* il corpo. Per questo i ricordi e le emozioni sono bloc-cati nel corpo. Liberando il corpo, liberiamo anche la mente. Liberando la mente, liberiamo anche il corpo.

"Cambiando la mente, cambiamo anche al corpo", dissi a Larry.

A causa della velocità degli scambi di battute di questi show non ho potuto approfondire meglio l'argomento. Per fortuna esistono libri come questo che state leggendo ed esistono persone come Jennifer McLean, a cui ho chie-sto di scrivere per voi come liberare il corpo-mente da qualunque blocco. Jennifer utilizza tre terapie: craniosa-crale, polarity e Reiki, che applica in sedute individuali e di insegnamento (www.healingrelease.com).

Ripulirsi dai residui dei traumi e dai blocchi energetici

Jennifer McLean

La tecnica che vi spiegherò vi condurrà in un viaggio nell'intelligenza del corpo per smascherare i pensieri bloccati nel sistema energetico delle cellule. Questi pensieri bloccati ci impediscono di realizzare i nostri sogni e si manifestano come dolore (fisico, emozionale e spirituale).

Questi pensieri ed emozioni bloccati nei tessuti vanno scoperti, riconosciuti e liberati. Le energie bloccate nel corpo sono spesso la conseguenza di traumi irrisolti. I traumi possono derivare da ferite fisiche, emozionali, mentali o spirituali, ma in genere si tratta di una combinazione di alcuni o di tutti questi elementi. Un trauma fisico può derivare da un evento grave, come un incidente automobilistico, o meno grave, come una lussazione o un calcio che avete dato da piccoli a vostro fratello, ma la cosa importante è il pensiero dietro la ferita, provocata o subita, e il punto del corpo in cui è rimasto intrappolato. Scoprendo, riconoscendo e liberando con gratitudine il pensiero o l'emozione che stanno dietro al blocco fisico, l'intelligenza del corpo si incarica di riequilibrare il fisico, guarirlo e mettere di nuovo le energie in condizioni di scorrere. Quando le energie scorrono, si aprono infinite opportunità.

Il mio processo personale e la mia esperienza con le persone mi hanno insegnato che bisogna 'chiedere' alle cellule e alle emozioni che vi sono bloccate. Ad esempio, lavorare con la visualizzazione e la percezione dell'abbondanza, della felicità e dei rapporti sani può avere risultati misti; ma se porto quello stesso sentire nel corpo, interrogandolo, esso mi dice dove sono i blocchi che impediscono la percezione, fisica ed emozionale, che desidero.

Viaggio nel corpo – Tecniche di liberazione e guarigione

Queste tecniche sono collegate alla fisica quantistica e all''effetto osservatore'. Si tratta di riconoscere il vostro sistema energetico attraverso le sue espressioni. Osservando i movimenti dell'energia e i modelli di blocchi/aperture, il corpo sa che vi state prendendo cura di lui, si trasforma e si riorganizza in nuovi modelli di salute e di equilibrio. È un dialogo interattivo, come in questo esempio:

> *Voi:* Ciao, corpo. Fammi vedere quello che vuoi farmi vedere. Io ti ascolto e ti do attenzione.
> *Corpo:* Ah, bene, eccoti qui. Ho sentito la tua richiesta (di abbondanza, rapporti, libertà, gioia, felicità ecc.) e ho alcune cose da farti sapere al riguardo.

Il processo è iniziato. Le tecniche e le parole che ora leggerete sono state caricate di perdono, amore ed equilibrio. Perciò il corpo è pronto a ricevere tutte queste cose.

Tecnica n. 1 – Guarire attraverso i traumi

Leggete tutta la descrizione della tecnica prima di metterla in pratica.

Parte prima: Trovare il vostro centro
Assumete una posizione comoda, sdraiati o seduti con la schiena eretta. Fate una serie di respiri profondi (per almeno 3 minuti) per ossigenare il corpo e rilassarlo. Ogni respiro deve durare almeno 10 secondi. Prima riempite d'aria l'addome (potete appoggiarvi la mano sopra per controllare che si espanda), poi il petto e infine l'apice dei polmoni (sollevando leggermente le spalle). Visualizzate l'ultima parte del respiro che riempie i polmoni fino alla loro sommità. Con la fine di ogni respiro, sentite di fare un massaggio interno alle spalle e al collo.

Da questo stato di rilassamento, entrate nel corpo e trovatene il centro. Scendete nel corpo come una perla che affonda lentamente e dolcemente nell'acqua. Quando la perla si ferma, lì è il vostro centro. Percepite la calma e l'immobilità del vostro centro. Se dei pensieri vi attraversano la mente, piegateli come se fossero una camicia o una maglietta e metteteli da parte.

Parte seconda: Guardare, notare, sentire, dialogare
Dalla calma e dall'immobilità del vostro centro andate nei punti dove avvertite disagio fisico, tensione o dolore. Dolori e tensioni stanno richiamando la vostra attenzione per un motivo preciso.

Quando dico di 'andare' in un certo punto, intendo portare l'attenzione in quel punto. Immaginate di guardare dentro il vostro corpo e di vedere i punti di tensione o di dolore. È la parte più importante di questa tecnica: 'andare' e osservare. Che cosa vedete? Alcuni vedono una forma (può essere simile a un cilindro, una scatola, una casa, un giocattolo e così via), altri un colore, altri percepiscono una sensazione tattile (molle, duro, appiccicoso...), altri ancora un'emozione (rabbia, frustrazione, confusione...).

Dopo avere portato tutta la vostra attenzione su un punto, guardate da vicino e iniziate il dialogo interiore. Descrivete a voi stessi tutti i particolari di quello che state vedendo o percependo nel punto di tensione o di dolore. Notate se cambia e osservate i cambiamenti (ricordate l''effetto osservatore': il vostro corpo è contento che lo osserviate e vuole comunicarvi delle informazioni attraverso un linguaggio simbolico che voi potete capire). Chiedete:

- Perché sei lì? (Alla cosa, alla sensazione o all'emozione osservata)

- Che cosa sei?
- Hai qualcosa da farmi vedere? (Notate se la cosa cambia e, se cambia, chiedete perché è cambiata)
- In che modo (questa forma, sensazione, emozione) mi è servita?
- Da dove vieni? (Da un incidente, un fatto, una frase...)

  Nota importante: se deriva da un evento traumatico, non entrate nel trauma; riconoscete che si tratta di un ricordo e ritornate al punto osservato sapendo che la tensione è il prodotto di un trauma.
- Sono pronto a liberarti? In che modo posso liberarti? (Non siete in cerca di una tecnica, la risposta è nella cosa osservata e nel momento in cui la osservate. Qual è la sensazione di liberazione che provate?)
- C'è qualcosa di preciso che posso fare per liberarti? (Le possibilità sono molte: farsi guidare, rivolgersi a un professionista dell'aiuto, imparare strumenti efficaci...)

Notate i cambiamenti avvenuti in seguito a questo dialogo. Il punto con cui avete parlato cambierà in direzione del riequilibrio, che potrà esprimersi come un profondo sospiro, uno scoppio di pianto o una risata. Spesso si avverte una sensazione di calore o si sente il punto pulsare. Anche un gorgoglio nella pancia può essere un segnale di energie liberate.

Mentre notate i cambiamenti e gli scioglimenti, osservate anche il resto del corpo. Ci sono altri punti di tensione? È un po' come pelare una cipolla: lo scioglimento di un punto ci dà l'opportunità di notare un altro punto di tensione, probabilmente collegato al precedente. L'area collegata può trovarsi anche in un'altra parte del corpo. Andate nel punto che richiama la vostra attenzione e ripetete l'esercizio.

Consiglio di concludere l'esercizio usando la tecnica *ho'oponopono* del dottor Hew Len: chiedere perdono per l'esperienza che ha causato quel blocco e dare amore alla persona che ha creato il blocco (voi) e alla persona (sempre voi) che l'ha sciolto.

Esempi

Ecco alcuni esempi del funzionamento di questa tecnica.

Sentivo un dolore alla fascia lombare sinistra. Ho fatto gli esercizi di respirazione, ho trovato il mio centro e da lì sono andata al punto del dolore. Ora la mia attenzione è focalizzata sul punto, che mi appare buio e ostile. Esprime contemporaneamente rabbia e indifferenza. Vedo una mescolanza di colore rosso e nero. Noto che il mio colon diventa più pesante e cambia mentre chiedo al dolore perché è lì. Può farmi capire meglio che cos'è? Risponde con altra indifferenza, come se mi voltasse le spalle. Glielo chiedo di nuovo. Gli dico: sono qui, ti ascolto, ti do attenzione. Che cosa posso fare per te? Percepisco amarezza e capisco che la sua rabbia e la sua freddezza servono solo a nascondere la tristezza. Chiedo il motivo di quella tristezza: perché è lì e a che cosa mi è servita? Mi risponde che io sono molto più di quello che faccio vedere al mondo esterno. Mi dice che ogni volta che nascondo la tristezza, invece di sentirla, provoco dolore e tensione. Quel dolore è il barometro della mia sincerità di fronte al mondo.

Una mia cliente, Marcia, si era rotta la caviglia cinque anni prima e non era mai guarita del tutto. La invito ad andare dentro di sé e a dare tutta la sua attenzione alla caviglia. La caviglia risponde che prima deve guardare il ginocchio. Marcia porta l'attenzione sul ginocchio e percepisce un'energia difensiva, una specie di cubo rigido, freddo e metallico. Chiede che cos'è e perché è lì. La massa rigida prende un colore più chiaro e la caviglia inizia a farle male. Il cubo si trasforma nella sua stanza di quando era bambina. Suo fratello la molesta e lei ha paura che le faccia del male.

Ora percepisce nel cubo la durezza e la rigidità che provava per il fratello. Vede lei bambina, a cinque anni, che sferra al fratello un calcio violento, facendosi male di riflesso al piede, alla caviglia e al ginocchio (aveva completamente dimenticato l'incidente). Le viene anche mostrato che l'atteggiamento difensivo e nello stesso tempo aggressivo bloccato nella memoria cellulare dei tessuti le impedisce di sperimentare nuovi rapporti e nuove opportunità. Il cubo è sempre lì, perciò Marcia chiede se c'è qualcosa di preciso per liberarsene. Riceve l'immagine di un martello pneumatico, che usa per rompere il blocco. Poi riceve l'immagine di un aspiratore, con cui risucchia i frammenti rimasti. Rimane uno spazio vuoto e aperto, e Marcia riceve l'indicazione di riempirlo di luce.

Il processo ha guarito tutta la gamba, che ha ritrovato forza e solidità. Da quel momento, la caviglia non le ha più fatto male. Una volta che le sue cellule si sono liberate dal blocco, anche la sua vita si è aperta. È meno sulla difensiva nei rapporti ed è più nel momento e nel flusso.

Potete usare questa tecnica una volta alla settimana o una volta al giorno, se ne sentite il bisogno.

Tecnica n. 2 – La storia negativa

Tutti abbiamo delle storie alle spalle, a molte delle quali rimaniamo attaccati. Qualcuno (un genitore, un amico, il vostro capo) si è 'comportato male' con voi e continuate a rimanere attaccati all'incidente, perché spesso si è inciso nel corpo. Quando i ricordi negativi rimangono come blocchi energetici, agiscono come enormi macigni nel torrente della vostra vita, deviando e rallentando il flusso dell'energia. Quando il flusso dell'energia è bloccato, ci ammaliamo e proviamo dolore fisico, emozionale e mentale (ad esempio perdita della memoria). Questo blocco del flusso interiore riflette il blocco del flusso delle cose buone che ci arrivano.

Tuttavia abbiamo la possibilità di ripulirci dalle nostre storie, di percepire in ogni momento quello che stiamo sentendo emozionalmente e come si manifesta nel nostro corpo. Il nostro corpo è un perfetto strumento diagnostico delle cause inconsce delle nostre disfunzioni abituali.

- Raccontate nuovamente a voi stessi la vostra storia negativa o di vittime, ma attenzione: avete solo uno o due minuti per farlo!
- Usando il metodo di osservazione interna descritto nella tecnica precedente, scoprite che sensazioni produce nel vostro corpo la vostra storia. Percepitele. In che punto del corpo si annidano queste emozioni negative?
- Dite a voi stessi: "Non voglio sentirle più".
- Ora chiedetevi: "Che cosa *voglio* sentire?". Collegatevi e ancoratevi all'area del plesso solare e del cuore per capire che cosa volete sentire.
- Spostate questa nuova sensazione positiva dalla mente (dove la maggior parte delle persone pensa di sentire) al corpo. Che sensazione fisica produce questa nuova energia positiva? Che sensazione fisica produce sentire pace, sentire gioia, sentire fiducia, sentire abbondanza? In quali punti del corpo sentite queste meravigliose energie? Rimanete nel corpo e percepite intensamente queste nuove energie positive.

- Ora portatele al livello successivo e descrivete com'è la vostra vita con queste nuove sensazioni. Usate le nuove sensazioni corporee per ancorare lì una storia, una visualizzazione della vostra vita, che cosa accade se siete realmente in armonia con queste energie positive e come sta il vostro corpo.
- Portate nel corpo la 'storia' che volete per voi e sentitela intensamente.

Questa è la Legge dell'Attrazione in azione. Se rimanete attaccati alle storie del passato e continuate a sentirvi vittime, non fate che rafforzare quella stessa energia e attirare altre esperienze simili. Usate questo esercizio per spostarvi verso ciò che volete davvero e usate il corpo per ancorare queste sensazioni, creando un flusso di energia positiva che viene verso di voi.

Metodo 10

Il Messaggio Essenziale

Il corpo è la materializzazione della mente.

— LESTER LEVENSEN

Circa vent'anni fa imparai un metodo per ripulirmi che uso ancora oggi. L'ho condiviso con altri e anche loro lo usano con soddisfazione. Tenetelo in tasca e tiratelo fuori per usarlo ogni volta che non vi sentite puliti.

L'esperienza mi ha insegnato che quando non siete puliti ve ne accorgete. Provate un senso di disagio. Può manifestarsi come rabbia, frustrazione, impazienza, infelicità, depressione, tristezza, apatia o qualunque forma di abbassamento dell'energia. È quello che si dice 'sentirsi giù'. Ma è questa stessa sensazione che può riportarvi su, a livelli sempre più alti di consapevolezza e di capacità di attirare ciò che desiderate.

Ecco come funziona.

1. State provando una sensazione di disagio, una delle tante varianti dell'infelicità. Qualcuno dirà: "Non sono infelice, sono arrabbiato!". Ovviamente, anche la rabbia è una forma di infelicità. In qualunque modo si presenti questa sensazione spiacevole, accoglietela.

2. Rimanete con la sensazione, permettetele di essere. In genere vogliamo fuggire dalle sensazioni che non ci piacciono, le anneghiamo nell'alcol o le seppelliamo sotto il cibo. I tentativi di fuga sono moltissimi. Alcuni vanno a fare jogging, altri vanno a fare shopping. Alcuni fanno il muso, altri lanciano piatti e bicchieri. Invece, non fate niente e *rimanete* con la sensazione. So che è sgradevole, ma è la porta verso la libertà.

3. Descrivete a voi stessi la sensazione. Se avete mal di testa, invece di prendere immediatamente una pastiglia rimanete con il mal di testa, dategli tutta la vostra attenzione e descrivetelo a voi stessi. Quanto è grande? Quanto è largo? Quanto è profondo? Che colore ha? Non ci sono risposte giuste o sbagliate a queste domande. Servono solo a tenere la mente focalizzata sulla sensazione. Se vi sofferma-

te abbastanza a lungo su di essa, accade qualcosa di sorprendente: il dolore o la sensazione sgradevole incominciano a sparire.

4. Chiedete alla sensazione che cosa vuole dirvi. Ne ho già parlato altrove: l'emozione è sempre lì per un motivo preciso. Contiene una lezione che dobbiamo imparare. *Imparate la lezione e non avrete più bisogno di ripetere la stessa esperienza.* Io mi calmo, chiudo gli occhi, mi concentro sulla sensazione (anche se mi fa paura) e lascio che mi parli. A qualcuno potrebbe sembrare un inutile giochino, ma vi assicuro che le risposte che ricevete possono fare la differenza tra dolore e gioia, tra fallimento e successo.

Come vedete, è facilissimo. Non dovete far altro che concedervi il tempo necessario per sentire il messaggio che le vostre sensazioni hanno da darvi. Una volta capito il messaggio, siete ripuliti. Davvero semplicissimo.

Ecco un esempio di come ho usato questo metodo.
Sono un membro della Società Americana dei Maghi. In occasione di un incontro mensile, mi comunicarono

che dovevo far vedere un esercizio di magia. Ora, fare un trucco davanti a parenti e amici è una cosa; farlo davanti a un pubblico di maghi professionisti è un'altra.

Mi assalirono tutte le mie paure ed entrai in agitazione. Passai tre giorni a decidere che trucco fare per soddisfare il mio pubblico di esperti. Niente mi convinceva. Comprai anche dei nuovi oggetti, anche se avevo in casa trucchi per migliaia di dollari.

Disperato, iniziai a pensare alle scuse che potevo accampare per non andare all'incontro. In fondo, mi dissi, non ero obbligato. Nessuno mi pagava per andarci, nessuno mi aspettava per ammirarmi. Era un semplice invito che potevo accettare o rifiutare.

Stavo per decidere di rifiutare, quando mi ricordai della mia regola: se hai paura di qualcosa, falla.

Presa la decisione, mi misi al lavoro con le mie emozioni. Erano emozioni tetre e pesanti. Incominciai a star male. Mi sentivo depresso e avevo male all'orecchio sinistro.

Non andava affatto bene.

Allora mi ricordai del metodo che vi ho appena descritto, che chiamo Messaggio Essenziale, perché consiste nell'essere disposti ad ascoltare il messaggio essenziale che un'emozione vi sta comunicando. Sapevo che, una volta capito il messaggio, sarei stato libero.

Nel corpo c'era una sensazione di paura che non mi piaceva. Invece di ignorarla, reprimerla, seppellirla o fuggire, decisi di rimanere con la sensazione. La lasciai essere senza giudicarla, senza attaccarla, senza nessun giochino mentale.

Dopo alcuni minuti di percezione della sensazione, mi ricordai della prima volta in cui avevo conosciuto un mago. Ero un ragazzino di dodici anni, avevo trovato il numero di un mago sull'elenco del telefono e l'avevo chiamato. Avrei parlato con qualcuno che sapeva fare le magie che io avrei tanto voluto fare!

Il mago rispose al telefono, ma stava piangendo. Pochi minuti prima aveva ricevuto un'altra telefonata in cui gli avevano comunicato la morte della madre. Non sapevo che cosa fare, ero ancora un bambino. Non sapevo niente della morte, né come ci si doveva comportare in quei casi. Ricordo che mi scusai, riattaccai e dimenticai tutto.

Ma il mio inconscio non aveva dimenticato. Quel primo contatto con un mago aveva segnato il mio rapporto con la magia per tutti gli anni successivi.

Il messaggio che mi mandava la paura era: "Ti stai aspettando che tutti quei maghi pensino che sei arrivato al momento sbagliato e che hai fatto la cosa sbagliata".

Una volta riconosciuto quel messaggio essenziale, la sensazione di paura scomparve. Evaporò all'istante. Non c'era più. Era come se dovessi guardare quell'esperienza infantile con occhi adulti e capire che non era detto che quell'esperienza si ripetesse tutte le volte. La lasciai andare e mi sentii libero.

Se vi interessa saperlo, sì, andai alla riunione di maghi. Parlai a braccio di magia e marketing e feci un esperimento di lettura della mente. Il pubblico apprezzò le mie parole, rise alle mie battute e alla fine vennero tutti a congratularsi con me.

Questa è vera magia, nata dall'ascolto del messaggio contenuto nella mia sensazione.

Prendete una sensazione, che provate in questo momento o avete provato di recente, e fate il seguente esercizio, scrivendo negli spazi o nel vostro diario.

1. Di che sensazione si tratta?

_____

_____

_____

_____

2. Siete riusciti a rimanere per qualche minuto con questa sensazione?

_____

_____

_____

_____

_____

3. Descrivetela (Dove la sentite? Quanto è grande? Quanto è profonda? Che colore ha?).

_____

_____

_____

_____

_____

_____

_____

_____

_____

4. Che messaggio vuole comunicarvi? (Potete anche immaginare la risposta. Anche una risposta immaginaria può essere molto più rivelatrice di quanto pensate).

_____

_____

_____

_____

_____

_____

_____

_____

_____

Parte terza

I miracoli

*È più facile per un cammello passare attraverso
la cruna di un ago che per uno scienziato
passare attraverso una porta.*

— SIR ARTHUR EDDINGTON, FISICO

Miracles Coaching
– Domande e risposte

Estratto da un teleseminario di Miracles Coaching

LEE: Sono Lee Follender, del team Miracles Coaching di Joe Vitale, e sono emozionato di essere qui stasera. Proveremo a fare qualcosa di diverso dalle altre volte, ma prima voglio darvi alcune informazioni preliminari.

Una delle cose di cui ci siamo accorti, che anch'io ho osservato, è che le domande che ci vengono rivolte ai seminari riguardano anche noi personalmente. Possono essere ad esempio domande che avrei potuto fare anch'io o cose che avrei potuto chiedere in passato. A volte questo tipo di sincronicità si perde se una persona fa un monologo e gli altri si limitano ad ascoltare, mentre c'è qualcosa di prezioso in un dialogo che ci connette a livello più profondo e personale. Perciò vi invito tutti a mantenere questo tipo di contatto.

Come potete immaginare, nel lavoro con i clienti e nelle discussioni con Joe emergono domande molto stimolanti. Perciò abbiamo deciso di inserirle nella discussione assieme alle vostre domande di questa sera, per darvi altre meravigliose idee sul lavoro che state facendo per crearvi una vita ricca di miracoli. Che facciate questo lavoro già da tempo o che siate nuovi, sono sicuro che le domande che abbiamo selezionato vi saranno sicuramente utili.

Quindi, che stiate iniziando oggi il vostro viaggio o che stiate viaggiando già da qualche tempo, mettetevi comodi e rilassatevi.

Vediamo se Joe è collegato con noi. Joe, ci sei?

JOE: Eccomi, sono qui.

LEE: Magnifico. Ti faccio subito la prima domanda: a un certo punto della giornata, ti accorgi che sei sotto l'influsso di una credenza limitante e la cosa ti secca molto. Che cosa fai?

JOE: È un'ottima domanda. Proprio oggi mi è accaduta una cosa del genere. La prima cosa che ho fatto è stato di riconoscerla.

Sapevo che, se avessi fatto resistenza, le avrei dato più potere. Se lottiamo contro qualcosa la teniamo nella coscienza e ci si appiccica addosso.

Così mi sono detto: "Ecco, c'è una credenza negativa" e mi sono fermato per sentirla. Sentire è fondamentale, perché se non sentiamo un'emozione finiamo per sotterrarla. Ma la sotterriamo viva, il che significa che si ripresenterà e probabilmente nel modo meno opportuno. E così vi ritrovate di colpo ad avere uno scatto d'ira o a scoppiare a piangere. Non siamo stati consapevoli di un'emozione quando si è presentata e l'emozione esplode con più forza nei momenti meno opportuni.

Invece dobbiamo sentirla, riconoscerla e permetterle di esprimersi. A volte non la voglio nemmeno io, lo ammetto.

Se è qualcosa che mi fa arrabbiare o che mi rende triste, preferirei che non ci fosse. Ciò nonostante, la sento e rimango con l'emozione. Non ci vuole molto, solo qualche momento. Se non lottiamo contro un'emozione, scompare da sola, evapora, si dissolve.

Poi vado in cerca di un pensiero positivo. Quando arriva una credenza negativa, non sappiamo da dove proviene. Può essere qualcosa che ho letto o che ho sentito, una notizia del telegiornale, una mail che ho ricevuto. Chi può saperlo? Qualunque cosa sia, cerco un pensiero migliore. Potremmo dire che è il mio motto: cerca un pensiero migliore.

Quando una credenza negativa viene a disturbarvi, sentitela, riconoscetela, lasciate che si esprima e poi lasciatela andare. Cercate un'alternativa, cercate il suo opposto.

Nel mio libro *The Attractor Factor* spiego che il primo passo consiste nel capire che cosa non volete. Bene, probabilmente la credenza negativa che viene a galla è qualcosa che non volete.

Il secondo passo è scegliere quello che volete, un ottimo modo per farlo è semplicemente rovesciare quello che non volete. Una delle credenze più comuni è: *non basta mai*. Pensate a qualcosa che siete convinti che non vi basti mai. Può essere il denaro, il cibo, l'amore. Qualcosa che sentite che non basta mai. Che cos'è per voi? Scegliete poi il pensiero opposto: *ce n'è più che a sufficienza*. C'è denaro più che a sufficienza per tutti, c'è denaro più che a sufficienza per pagare le mie cambiali quando scadono, o anche prima che scadano. Il punto è sostituire la credenza negativa con un pensiero migliore. Potete scegliere. Avete il controllo dei vostri pensieri.

E oggi ho fatto così.

LEE: Grazie, Joe. In questo modo abbiamo qualcosa di preciso da fare, invece di lasciarci trascinare via da una credenza o da un pensiero.

JOE: Esatto. In passato siamo stati vittime, ma ora non vogliamo più esserlo. Rovesciando un pensiero negativo ci siamo risvegliati, possiamo scegliere. È questa la bellezza di questo seminario e di tutto il programma. Possiamo scegliere, ci siamo riappropriati del nostro potere. È davvero magnifico.

LEE: Seconda domanda. Anche i neonati hanno attirato quello che hanno? Piccole coliche, problemi intestinali o anche cose molto più gravi, ad esempio difetti congeniti?

JOE: Sì, anche questa è una domanda interessante. Avrete visto il film *The Secret*. Se non l'avete ancora visto, fatelo. Lo trovate in vendita dappertutto, oppure andate su www.TheSecret.tv. Ne ha parlato Oprah e ne ha parlato Larry King nel suo show. Sono usciti degli articoli su *Time* e *Newsweek*. Tutto il mondo ne parla e il tema del film è la Legge dell'Attrazione. C'è molta curiosità e anche gli scettici si sono dimostrati interessati.

LEE: Sì, è vero.

JOE: E così nascono domande come: i neonati attirano già le cose? Ci sono bambini che nascono con problemi cardiaci, ma è lecito dire che li hanno attirati loro? Io penso di sì, ma, come tutti, a livello inconscio.

Se abbiamo un incidente stradale e non capiamo come abbia fatto quel disgraziato a venirci addosso, la verità è che l'abbiamo attirato noi a livello inconscio. È uno dei punti principali di cui stiamo discutendo: diventare sempre più coscienti.

I bambini nascono già con una programmazione. Pensate a due gemelli. Nascono dagli stessi genitori, vengono educati nello stesso modo, vanno alla stessa scuola, frequentano la stessa chiesa, fanno tutto assieme, ma hanno personalità diverse. È come se fossero venuti al mondo con una individualità precisa.

Per questo sono convinto che si venga al mondo già programmati. In parte è personalità, in parte è genetica e in parte è qualcosa che deriva dalle prime esperienze. Dov'è iniziato tutto questo, non lo so. Forse dovremmo chiederlo a Dio o al Buddha. Io non lo so, ma la mia posizione è: sì, tutti attiriamo le cose che ci accadono, inclusi i neonati, ma a livello inconscio.

LEE: Sì, è chiaro. Ma stasera da dove consigli di iniziare a quanti tra noi, e penso che siano in tanti, non hanno mai sentito parlare di queste cose?

JOE: Da dove iniziare? L'inizio che preferisco è giocare con l'idea 'come vorrei che fosse la mia vita'. Mi piacciono moltissimo questa domanda e altre domande collegate a questa: come starei? Come sarebbe se la mia vita fosse diversa?

Ponendovi questa domanda dovete pensare alle possibilità, non ai problemi che sorgerebbero.

Tutto inizia concentrandoci su quello che vogliamo.

C'è in *The Attractor Factor* e nel film *The Secret*, e lo sento dire anche da altri: è l'intenzione che governa il mondo.

Quindi, iniziamo con una dichiarazione di intenzioni. Per intenzione, intendo affermazione di un risultato preciso. Può trattarsi di una questione di forma fisica o di peso, di un'auto di quel preciso modello e colore, di un lavoro o di un aumento di stipendio. Naturalmente parlo in linea generale, ognuno pensi ai suoi desideri particolari.

Dichiarare le vostre intenzioni, cioè affermare quello che volete e giocare con le possibilità di come sarebbe la vostra vita, innesca il processo che va in direzione delle cose che desiderate. È questo il lato stupefacente, miracoloso e magico della vita. Appena dichiarate un'intenzione, il vostro corpo e la vostra mente si allineano con essa.

Il mio esempio preferito è una macchina nuova. Comprate una Volkswagen e, prima di comprarla, ne avete visto solo qualcuna qua e là. Poi, dopo averla comprata, vedete quel modello dappertutto, come se ci fosse un'invasione di Volkswagen. La vostra mente è attenta a quel modello di auto perché è lì che l'avete focalizzata.

Quando vi focalizzate su un'intenzione, il corpo e la mente iniziano ad andare in quella direzione. È una legge psicologica basilare: ottenete quello su cui siete concentrati.

Ma anche l'universo e la sua energia si allineano alla vostra intenzione e vi mettono nella situazione in cui la vostra intenzione si può realizzare.

Per questo bisogna iniziare dall'intenzione. Che cosa volete? Che tipo di vita volete? Com'è la vita che vi piace? Che cosa volete davvero cambiare? Ricordate di focalizzarvi sulle possibilità, non sui problemi. Focalizzatevi sui risultati, sul modo in cui volete che vadano le cose. È questa la cosa eccitante e incomincia tutto da qui.

LEE: Questo ci porta alla prossima domanda: perché a volte occorre tanto tempo? È come se fosse più facile attirare le cose negative che quelle positive. Potrebbero sembrare due domande diverse, ma in realtà sono una sola.

JOE: Sono entrambe ottime domande. Più tardi ricordami la seconda, perché adesso risponderò alla prima.

LEE: Benissimo. Perché a volte occorre tanto tempo?

JOE: Domenica scorsa ero alla World Wellness Convention (http://themissingsecret.info). Il sabato sera aveva parlato Deepak Chopra, io parlai la domenica mattina davanti a una sala stracolma. C'era gente seduta per terra e altra rimasta fuori, perché non c'era più nemmeno un posto.

LEE: Sì, c'ero anch'io. È stato molto interessante.

JOE: Non lo sapevo, ti ringrazio per essere venuto. Quando ti ho incontrato, non sapevo che fossi tra il pubblico.

LEE: No, no. Ero lì a sentirti.

JOE: Ho parlato dei tre passi, un processo molto semplice che ripeterò qui per voi, perché è importante e riguarda direttamente la domanda.

Alla Convention ho detto che l'universo, Dio, il Divino, l'energia vitale, la forza vitale (chiamatelo come volete, ricordando che sto parlando di quella forza saggia e potente più grande di noi e in cui siamo tutti immersi) invia e riceve continuamente informazioni ed energia. Ricordatelo: invia e riceve.

Il secondo punto è che ciò che vi manda e ciò che riceve da voi viene filtrato attraverso il vostro sistema di credenze. È molto importante capirlo. L'energia che vi viene inviata è assolutamente pura, ma incontra le vostre credenze e le vostre opinioni su ciò che è possibile o non è possibile. Avete delle credenze, delle convinzioni circa la natura della realtà. Avete delle credenze su quello che meritate e che non meritate. L'energia arriva, ma viene filtrata dal vostro sistema di credenze.

Il terzo passo sono i risultati. Anche quando ottenete dei risultati, li filtrate attraverso l'interpretazione fornita dalle vostre credenze.

Quindi, se qualcosa non vi arriva alla velocità che vorreste, molto probabilmente è stato bloccato dalle vostre credenze.

Io ho cambiato la mia mente e penso che niente sia impossibile. Ci sono cose ancora irrealizzate, certo, ma il mio pensiero è che niente è impossibile. Forse non sappiamo ancora come, ma possiamo scoprirlo.

Se qualcosa continua a non accadere, potrebbe essere andato a impigliarsi nelle credenze di una persona. Ad esempio: "Non credo che sia davvero possibile", "Non lo merito", "Se lo ottenessi davvero, dovrei pagare una montagna di tasse", o qualunque altra credenza limitante.

Pensateci. Se avete dichiarato una particolare intenzione e non accade niente, è un probabile segnale che avete delle credenze che impediscono che accada. In questo caso vi suggerisco di chiedervi: "Se i tempi si stanno allungando troppo a causa di qualche mia credenza limitante, di che credenza si tratta?". Vi arriverà una risposta, che potrebbe anche sembrarvi assolutamente folle.

Domenica ho detto che stavo lentamente aumentando i miei introiti, ma, raggiunto un certo livello, non riuscivo a superarlo. Per un anno ero rimasto inchiodato lì. Allora mi chiesi: "Perché? Ho affermato chiaramente un'intenzione, credo che la Divinità mi ascolti e che cerchi di aiutarmi. Ho fatto di tutto, ma mi sembra di sbattere contro un muro. Perché il processo è rallentato? Perché i miei introiti non aumentano più?". Esaminai attentamente le mie credenze e venne fuori che mi faceva sentire a disagio guadagnare più dei miei genitori. Ricordo (e visto che c'eri lo ricorderai anche tu) che in sala ci fu un mormorio, come se tutti conoscessero bene quella convinzione limitante.

LEE: Sì, lo ricordo.

JOE: Esaminai quella credenza e mi dissi, come ho spiegato domenica, che i genitori vogliono sempre il meglio per noi. Lo manifestano ai figli a modo loro, ma fanno sempre tutto il possibile. Allora capii: sì, mio padre sarebbe molto orgoglioso se sapesse che le mie condizioni economiche sono migliori delle sue. E capii anche che in quel modo avrei potuto aiutare lui, la mia famiglia, altre persone, nobili cause e naturalmente me stesso. Rimossi quell'ostacolo, anche se in definitiva l'unico ostacolo ero io.

LEE: Joe, è possibile che le credenze nascoste non sembrino direttamente collegate alla cosa che vogliamo ottenere?

JOE: Sì, è possibile.

LEE: Allora possono sembrare completamente scollegate?

JOE: Sento che stai pensando a un caso specifico. Vuoi dircelo?

LEE: Voglio avere successo nella mia attività, voglio ingrandirla, ma la credenza nascosta potrebbe essere che non sono una persona che ispira simpatia.

JOE: Sì, capisco.

LEE: È qualcosa che non sembra direttamente collegato al mio problema.

JOE: Infatti.

LEE: Supponiamo che io sia un agente immobiliare o che venda assicurazioni.

JOE: Vai avanti.

LEE: Se penso di non essere una persona simpatica, è ovvio che ai clienti non piace trattare con me.

JOE: Sì. Questa credenza può rimanere perfettamente inconscia finché non partecipi a un seminario come quello di questa sera o non ricorri al programma Miracles Coaching, dove qualcuno ti aiuterà a vederla.

Voglio dire a tutti i nostri amici che continua a essere così anche per me. Tu potresti dire: Joe ha fatto tutto il processo, ha scritto tanti libri sull'argomento, è una persona di successo... ma ho ancora delle credenze limitanti che ogni tanto vengono a galla. Procedo in una direzione e all'improvviso, bum, vado a sbattere contro qualcosa. Allora ricorro anch'io al Miracles Coaching, perché so che viviamo in un universo governato da credenze che sono per la maggior parte inconsce.

Domenica ho parlato di alcuni metodi per vederle, ma anch'io a volte devo ricorrere a un aiuto, a una persona che guardi la mia situazione oggettivamente senza essere coinvolta nel mio sistema di credenze. Quando mi aiuta a vederle, il semplice fatto di averle individuate le fa evaporare.

LEE: E questo ci porta alla seconda domanda. La ripeto: perché sembra più facile attirare le cose negative che le cose positive? È un punto fondamentale, giusto?

JOE: Giusto. In linea di massima, sono le emozioni che attraggono tutto ciò che ci arriva nella vita. Molti hanno forti emozioni di rabbia, odio o frustrazione. Essendo concentrati su queste emozioni, attirano situazioni collegate a questo tipo di energia. Se invece provate amore, attirate cose che contengono amore.

L'esempio che preferisco riguarda le macchine. Ti metterai a ridere, perché ne ho parlato anche domenica e penserai che sia un fanatico delle auto. È buffo, perché lavoro a casa e non mi serve la macchina per spostarmi. Quando mi sposto, prendo l'aereo. Così, ho tre automobili bellissime e non ne guido nemmeno una. Ma amo le macchine e loro sono arrivate nella mia vita perché le amo. Le amo e loro arrivano. È il mio amore che le attira.

Ma spesso le persone si focalizzano su quello che non vogliono, tutta la loro energia viene indirizzata lì e attira sempre più cose che non desiderano.

LEE: Perché, anche se io e un altro abbiamo la stessa energia, uno attira le cose più velocemente? Puoi spiegarlo?

JOE: Credo che la risposta sia collegata a una delle ultime domande che hai fatto. Se uno attira le cose più lentamente di un altro, c'è di mezzo qualche credenza limitante. Non so chi abbia fatto questa domanda, quindi non conosco la sua situazione né il suo sistema di credenze, ma posso riprendere il mio discorso di domenica scorsa a proposito del Divino che ci manda informazioni, che ci dice di fare determinate cose. A nostra volta, quando formuliamo un'intenzione, la mandiamo al Divino, che è una specie di 'condizione zero' da cui provengono i risultati. È così che funziona. L'unica cosa che può rallentare o anche impedire i risultati sono le nostre credenze. Il risultato vi sta arrivando, ma se avete ancora una credenza limitante o auto-sabotante, o se pensate di non meritare la cosa che avete chiesto, tutto il processo rallenta.

LEE: Sì, è chiaro. Adesso c'è una domanda molto interessante sulle credenze limitanti. È possibile che una credenza limitante ne nasconda un'altra? Prima o poi finiscono o non hanno mai fine?

JOE: Sono felice di dirvi che si arriva a un punto in cui finiscono. Nella mia esperienza ho visto che ce ne sono tantissime e che continuano a venire a galla, ma non dovete credere a nessuna. Con un po' di esperienza, se non ci attacchiamo a esse se ne vanno da sole. Vengono a galla e voi le lasciate andare. Diventa una specie di meditazione: quando una credenza viene a galla, è come un pensiero che si affaccia alla vostra mente in questo momento. La guardate come una nuvola che attraversa il cielo. Voi non siete quella credenza, non siete quel pensiero, non siete la nuvola. Siete l'osservatore di tutto ciò. Non so se ci riuscite, perché anch'io ci sto ancora lavorando, ma se capite di essere il cielo e non le nuvole, sarete in pace in qualunque momento.

LEE: Magnifica immagine, mi piace molto.

JOE: Vorrei ripeterla, se non altro per me stesso.

LEE: Sì, certo.

JOE: Se capite di essere il cielo, e non le nuvole, sarete in pace in qualunque momento. Le nuvole sono i pensieri che vanno e vengono, il cielo siete voi che le osservate. Se riuscite a osservare qualunque cosa, diventate una persona distaccata e meravigliosamente in pace, che può manifestare tutto ciò che vuole.

LEE: È davvero magnifico e ci porta alla prossima domanda. Posso fartela?

JOE: Certo.

LEE: La domanda è: "Che cosa significa essere 'puliti' e come faccio a sapere di esserlo?". Nel nostro programma sottolineiamo continuamente la necessità di ripulirsi...

JOE: Sì.

LEE: ...e quello che hai appena detto del cielo credo che sia appunto questo.

JOE: Esattamente. Come dico sempre, ripulirsi è il segreto perduto. Domenica ho parlato proprio di questo argomento e ho intitolato il mio intervento 'Il segreto perduto'.

Ripulirsi è il segreto perduto di qualunque programma di auto-aiuto. Molti non conoscono questo passo o non sanno come metterlo in pratica. Essere ripuliti significa non avere nessuna idea preconcetta sul modo in cui la vostra intenzione si realizzerà. Non avete idee preconcette sul perché le cose che volete si manifestano con incredibile facilità, ma siete completamente in pace, perché sapete che si manifestano per voi.

LEE: Vuoi dire, un senso di...

JOE: ...di pace, sì.

LEE: O di totale assenza di ostacoli.

JOE: Totale assenza di ostacoli, anche. Se ad esempio siete focalizzati sulla salute, sul denaro o sui rapporti, avete affermato la vostra intenzione, avete lavorato sulle credenze limitanti, eppure provate ancora un senso di frustrazione, significa che non siete ripuliti.

LEE: Capisco.

JOE: La frustrazione indica che c'è ancora qualche credenza che vi ostacola. Se siete impazienti, arrabbiati, o se provate una qualunque emozione non centrata, infelice, triste o orientata all'avidità... sai, tutte le emozioni che non sono gioiose... è una bandiera rossa, o una bandiera gialla, che vi avverte della presenza di qualche credenza limitante. Se invece siamo puliti, sia che l'intenzione si sia già manifestata o che stia per farlo, non percepiamo nessuna emozione sgradevole.

LEE: Ma devi continuare a tenere l'attenzione sulla tua intenzione?

JOE: Naturalmente no. Finché è qualcosa di bello e di leggero, puoi rimanere sull'intenzione e dirti: 'Wow, che bello avere un rapporto così, che bello avere tutto questo denaro'. Finché è bella e piacevole, puoi rivisitare l'intenzione. Ma se la rivisiti perché vuoi rafforzarla, o perché senti di doverla rafforzare, può darsi che tu abbia la credenza nascosta di avere sbagliato qualcosa o che il processo non stia funzionando. È il segnale di una credenza negativa.

LEE: Insomma, se mi sento ottimista vuol dire che molto probabilmente sono ripulito.

JOE: Esatto. Sai, ci sono delle parole chiave: *gioco*, *gioioso*, *leggero* e così via. Immagina di entrare in un negozio e di vedere una bellissima chitarra. La guardi e dici: 'Wow, mi piacerebbe suonare quella chitarra'. Non è un bisogno, non è una necessità, non è una droga, non è un attaccamento. È qualcosa di leggero e di giocoso, non è una faccenda di vita o di morte. Se guardi la chitarra e dici tranquillamente: 'Sarebbe magnifico averla', probabilmente sei nella situazione ideale per attirarla il giorno dopo.

LEE: Sempre a proposito di non essere ripuliti, c'è un'altra domanda. "Se ho dei problemi sempre con la stessa persona, e se penso che sia a causa di una credenza limitante, ma non riesco a vedere quale, cosa devo fare?".

JOE: Un'altra bella domanda. Come ti ho detto, sabato sera ho sentito parlare Deepak Chopra. È un medico indiano e il suo background è l'antica filosofia indiana. E sai che cosa ha detto? Che non esiste niente di esterno. Tutto quello che crediamo esterno è un'illusione, comprese le persone.

LEE: Sì, l'ho sentito.

JOE: L'esterno è uno specchio che riflette le nostre credenze. È qualcosa di davvero potente. All'inizio è difficile da accettare, ma... quando lo capisci la tua mente si apre e la tua vita si trasforma. Se in un'altra persona c'è qualcosa che ci disturba, che ci fa rabbia o che ci disgusta, è molto probabile che sia una delle cose che non ci piacciono in noi. E questo è difficile da accettare.

Deepak ha fatto l'esempio di una donna che aveva partecipato a un suo seminario. Si comportava in modo maleducato, impaziente e odioso, e davanti a lei lui si era sentito come un bambino. C'erano un mucchio di cose in quella donna che non gli piacevano. Poi pensò: "Dove sono andati a finire tutti i miei insegnamenti?", e fece una lista scritta di tutte le cose che non gli piacevano in lei. Poi chiamò il suo agente e gli disse: "Ora ti leggo una lista di cose, tu dimmi se le vedi in me". E lesse la lista: maleducato, impaziente, odioso... Quando finì di leggere, dall'altra parte del telefono ci fu un lungo silenzio. "Oh no!", pensò. Decise di fare una seconda verifica.

Chiamò sua moglie, le lesse la lista e questa volta il silenzio fu ancora più lungo di quello del suo agente. Era così: tutti i comportamenti che l'avevano irritato in quella donna erano parti di se stesso che non gli piacevano. Le cose da ripulire sono sempre in voi, mai nell'altro. Anzi, fate una lista dei suoi comportamenti che non vi piacciono e ringraziatelo, realmente o solo nella vostra mente. Poi guardatevi dentro e ditevi: "Bene, perché non riconosco queste mie parti?".

LEE: Sai, Joe, mi ricorda il dottor Hew Len e l'*ho'oponopono*.

JOE: Hai ragione.

LEE: Si tratta di assumerci la responsabilità di tutto ciò che accade nella nostra vita. Ho creato quella persona per poter vedere delle cose dentro di me.

JOE: È così.

LEE: Cose che non piacciono.

JOE: Per chi ancora non conosce il dottor Hew Len e l'*ho'oponopono*...

LEE: Questa è appunto la prossima domanda.

JOE: È una storia molto lunga, ma proverò a riassumerla. Len è un terapeuta che ha guarito una lunga serie di ospiti di un manicomio criminale, persone in isolamento o sedate per la loro pericolosità, utilizzando una tecnica hawaiana chiamata *ho'oponopono*. Ho conosciuto il dottor Len, ho imparato la tecnica e abbiamo tenuto molti seminari assieme. Abbiamo scritto un libro, *Zero Limits*, e per saperne di più potete visitare il sito www.ZeroLimits.info. Lì troverete tutta la storia e scoprirete che cosa fa il dottor Len e che cosa potete fare anche voi oggi stesso. Ma è la stessa cosa che dice Deepak: non esiste niente di esterno.

LEE: Ti ringrazio.

JOE: È una cosa davvero strana, ma per me è diventata una realtà quotidiana. Ormai vedo tutto quello che accade nella mia vita, bello, brutto o neutro, come una mia proiezione. Anche di questo ho parlato domenica. L'energia mi arriva, mi attraversa, viene filtrata dalle mie credenze, io guardo e vedo i risultati. Ma questi risultati non sono 'reali', sono un riflesso delle mie credenze. Se i risultati non mi piacciono, devo riesaminare le mie credenze. Cambiandole, cambiano anche i risultati.

LEE: Grazie, Joe. Avrei ancora un paio di domande.

JOE: Dimmi.

LEE: La prima è questa. "Io attiro tutte le cose che desidero...".

JOE: Magnifico!

LEE: Ah, vedo che sei contento!

JOE: Certamente.

LEE: "...e le voglio anche per gli altri".

JOE: Benissimo.

LEE: "Ma come devo fare per attirarle anche per gli altri, soprattutto per le persone che fanno resistenza a quello che io ho imparato?".

JOE: È una domanda bellissima, che ha due livelli. Anche la persona che l'ha fatta è meravigliosa, perché esprime il suo amore per la vita e per il pianeta.

LEE: Prima di continuare, posso dirti una cosa?

JOE: Certo.

LEE: Molti fanno questa domanda.

JOE: Davvero?

LEE: Sì, abbiamo un mucchio di persone magnifiche.

JOE: È splendido sentirlo.

LEE: E tutti vogliono conoscere la risposta.

JOE: Significa che il loro cuore è aperto. Che vogliono cambiare il mondo e non solo se stessi.

LEE: Proprio così.

JOE: Il primo livello di risposta è che non possiamo violare la volontà di un'altra persona. Dobbiamo lasciare che gli altri siano come sono. Credimi, non sai quanto mi piacerebbe cambiare la gente, ma a questo punto mi devo ricordare del secondo livello della risposta: che gli altri sono una mia proiezione.

LEE: Sì.

JOE: Con questo ritorniamo al metodo del dottor Len. Len non espresse subito l'intenzione di cambiare quei criminali malati di mente. Guardò le loro cartelle e provò un senso di disgusto, perché molti erano assassini e stupratori, o si erano macchiati di delitti altrettanto terribili. Mentre esaminava le loro cartelle, sentì che qualcosa si muoveva dentro di lui e applicò l'*ho'oponopono* a se stesso. Semplicemente applicandolo a se stesso, i malati cambiarono.

Il punto è questo: il mondo intero è dentro di voi. Se guarisci te stesso, guarisci anche il mondo. Non occorre che vi mescoliate agli altri, non occorre incontrarsi faccia a faccia. E non dovete pensare nemmeno che stiano facendo resistenza. È un vostro riflesso, è una parte di voi che fa resistenza.

Ma stavo parlando del dottor Len, perciò ritorniamo a

quello che ha fatto. Se volete tutta la storia potete leggerla su www.ZeroLimits.info, ma fondamentalmente guardò dentro di sé e disse a quello che io chiamo il Divino, ma che voi potete chiamare Dio, l'universo, l'energia vitale, il punto zero, insomma questa cosa più grande di voi... disse che, qualunque sensazione avesse provato dentro di sé, avrebbe detto: "Ti amo", "Mi dispiace", "Ti prego, perdonami" e "Grazie". Considerate queste quattro frasi come un mantra, una preghiera, una poesia o quello che volete. Comunque, il dottor Len continuò a ripetere: "Ti amo", "Mi dispiace", "Ti prego, perdonami" e "Grazie".

Non lo diceva a un'altra persona e non lo diceva ad alta voce. Lo diceva mentalmente, a volte senza nemmeno guardare la persona in faccia. Lo diceva al potere di cui facciamo tutti parte. Lo diceva all'energia dell'universo. Non lo diceva a se stesso. Continuava a ripetere mentalmente "Ti amo", "Mi dispiace", "Ti prego, perdonami" e "Grazie". In questo modo cancellava dentro di sé le credenze e le opinioni che creavano il suo modo di vedere quelle persone.

Questo metodo rientra nel lavoro di pulizia delle credenze, che corrisponde al secondo passo di cui ho già parlato. Ripetendo quelle frasi, stava dicendo al Divino: "Senti, io non so da dove vengano queste credenze, ma mi dispiace di averle. Ti amo e, ti prego, perdonami, qualunque sia il motivo per cui io le ho portate alla coscienza. Grazie. Ti prego, perdonami, ti amo, grazie. Mi dispiace, ti prego, perdonami, grazie, ti amo". Semplicemente ripetendo queste parole, e io di tanto in tanto ne cambio l'ordine, potete fare tutto ciò che volete. Sono convinto che basti ripetere 'ti amo' per cancellare qualunque negatività.

Il punto è che non possiamo cambiare gli altri, perché tutti devono decidere da soli. Ma possiamo lavorare su noi stessi e capire che quello che vediamo negli altri è una nostra proiezione.

LEE: Davvero magnifico! E adesso l'ultima domanda. "Ho sentito la parola contro-intenzione...".

JOE: Sì.

LEE: "Che cosa significa esattamente e come faccio a scoprire se ce l'ho?".

JOE: Grazie per questa domanda. Anche di questo ho parlato domenica scorsa e per saperne di più potete andare su www.miraclescoaching.com. Ne parlo anche nel mio blog. Se non ci siete mai stati, fatemi una visita. Aggiungo qualcosa ogni giorno, nuovi suggerimenti, nuovi strumenti, ed è tutto gratis. Andate su www.mrfire.com e lì trovate il mio blog. Dateci un'occhiata.

Allora, le contro-intenzioni... Il mio modo preferito per spiegarle sono i buoni propositi per l'anno nuovo. È probabile che li facciate ogni anno. Alcuni esempi: andrò in palestra tutti i giorni, perderò peso, smetterò di fumare, socializzerò di più. Sono sicuro che avete fatto qualche proponimento per l'anno nuovo, e con le migliori intenzioni. Ho già parlato del potere dell'intenzione. Bene, eravate animati dalle migliori intenzioni e poi, il due o il tre gennaio, non ricordavate nemmeno più l'indirizzo della palestra.

È stato a causa di una contro-intenzione. Avevate una credenza nascosta più forte della vostra intenzione. La vostra intenzione era: andrò in palestra, farò esercizio fisico, ma l'intenzione è stata spinta via da una credenza nascosta che chiamo contro-intenzione e che diceva: non andrò in palestra, non farò esercizio fisico e così via.

È di queste contro-intenzioni che dovete ripulirvi. Per questo il programma Miracles Coaching è così utile. Per questo uso anch'io queste tecniche; per questo chiedo aiuto anch'io; per questo penso che per ottenere quello che vogliamo dobbiamo conoscere le nostre contro-intenzioni, che sono credenze limitanti. Sono negatività.

In genere non le conosciamo, ma bastano una piccola esplorazione e un piccolo aiuto per dissotterrarle, portarle alla luce e lasciarle andare. Se vogliamo ottenere qualcosa dobbiamo liberarcene, perché l'unica cosa che ci impedisce di migliorare siamo noi, sono le nostre credenze. Viviamo in un universo governato dalle credenze. Cambiate le credenze e otterrete migliori risultati.

LEE: Cambiate le credenze e otterrete migliori risultati. Mi piace questa frase.

JOE: Anche a me. Buona fortuna a tutti quelli che ci ascoltano. Continuate a inseguire i vostri sogni!

Nota: sono disponibili due miei DVD sul tema The Missing Secret, a cui è dedicato il sito www.missingsecret.info. Possono esservi utili per approfondire i contenuti di questo libro e del teleseminario che avete appena letto.

Cinque strumenti per manifestare denaro

Estratto da un teleseminario di Miracles Coaching

Mi fanno spesso domande su come manifestare denaro. Ecco come rispondo.

Di per sé, il denaro è soltanto carta o metallo. Monete o banconote con disegni bellissimi. Se lo guardate bene, ha qualcosa di mistico. Anche se pochissimi la notano e pochissimi ci credono, c'è la scritta 'In God we trust'. Poi c'è una piramide, un antico simbolo carico di significati che ha moltissime interpretazioni, incisa meravigliosamente. Una banconota è una piccola opera d'arte, ma di per sé non è niente. Il denaro non è niente, è un pezzo di carta o di metallo.

Siamo noi che gli diamo significato. Lo carichiamo di autostima e di controllo. Gli diamo una montagna di valori e di significati.

Il mio consiglio è considerare il denaro come quello del Monopoli. È divertente, perché è un gioco. Non determina la vostra felicità o infelicità, il vostro valore o la vostra incapacità. Non ha niente a che fare con tutto questo.

Per quanto mi riguarda, non vado mai all'inseguimento del

denaro e non è mai il mio obiettivo principale. I miei obiettivi sono la passione, il divertimento, la condivisione, la bellezza delle cose. Ma sto anche attento a farmi pagare per quello che faccio, perché la gente non dà valore a una cosa se non ha un prezzo. Il marketing è in gran parte un problema di percezione e la percezione della gente è influenzata dal prezzo che ha una cosa. Tutto questo è comunque una costruzione, perché di per sé il denaro non è niente. È privo di importanza, sono pezzi di carta. L'unico suo valore è quello che gli date voi.

Dal punto di vista del 'fattore attrazione' non dobbiamo provare attaccamento o dipendenza nei confronti del denaro, perché se esprimiamo bisogno, attaccamento e dipendenza, attiriamo squilibrio. In questo modo spingiamo via il denaro. Una parte di voi dice: "Voglio denaro, voglio denaro, voglio fare grandi cose con il denaro", ma un'altra parte dice: "Non voglio denaro perché è cattivo, i ricchi sono cattivi e io non voglio essere avido". Una parte di voi dice 'dammelo' e un'altra 'spingilo via'. Qual è il risultato? Che la seconda parte annulla la prima e non avrete mai denaro.

Quindi il mio consiglio è (ma vi occorre l'aiuto dei nostri esperti per riuscirci nel modo migliore): considerate il denaro come quello del Monopoli. Il denaro non è poi una gran cosa, anzi, non è niente. Sì, è un utile mezzo di scambio e ci consente di fare tante cose, ma solo perché siamo tutti d'accordo sul suo significato. In se stesso non ha poteri magici, siete voi che avete poteri magici. Quindi concentratevi su di voi, non sul denaro.

Se volete un altro consiglio, concentratevi su ciò che amate. Tutti vogliamo amore, vogliamo amare ed essere amati. Se il vostro obiettivo è condividere il vostro cuore con le persone che lo vogliono, finirete col ricevere anche denaro. Vi arriverà come un sottoprodotto, un effetto collaterale. Ma non vi arriverà se rappresenta il vostro obiettivo principale.

So che penserete, soprattutto se sentite questi consigli per la prima volta: "Questo è matto. Che cosa sta dicendo? Non è così che funziona". Invece vi dico che funziona proprio così.

Dovete sapere che un po' di tempo fa scelsi una credenza. Ascoltatemi bene: scelsi di avere una convinzione. Decisi consciamente che più denaro avrei speso e più denaro avrei ricevuto. So che è irrazionale. Qualunque contabile, ragioniere o bancario direbbe: "Joe, più ne spendi e meno ne hai".

Ma io so che funziona in modo diverso. Così, quando spendo, mi guardo attorno e mi dico: "Vediamo un po' in che modo mi arriverà dieci volte più denaro di quello che ho speso". Compro con grande facilità; ma, poiché mi aspetto che più spendo e più denaro mi arriva, me ne arriva sempre. Ne affluisce così tanto che posso contribuire a buone cause o sponsorizzarne di nuove. Posso aiutare gli altri. Ho aiutato la mia famiglia e i miei amici. E posso permettermi di comprare un'automobile nuova anche se ne ho già una e per lavorare non devo muovermi di casa. Già, non le guido nemmeno.

Tutto ciò è possibile perché considero il denaro una cosa neutra, e non faccio dipendere la mia autostima e il senso del mio valore dai soldi. Lascio che siano un derivato della soddisfazione che provo verso me stesso.

Altro estratto da un teleseminario di Miracles Coaching

Passiamo alla domanda successiva: "La mia intenzione è tutta concentrata sul denaro. È giusto fare così? Devo dire che altre aree della mia vita vanno in modo splendido, invece il denaro è sempre stato un problema".

Per prima cosa, sono davvero contento che la tua vita sia per molti aspetti splendida. È magnifico, non tutti possono dirlo. Devi assolutamente celebrare questa cosa, balla per la strada, festeggia il fatto di avere una vita splendida. Che cosa meravigliosa per chi la ascolta e per chi può dirla!

Allora, la tua intenzione è tutta concentrata sul denaro. È giusto? Assolutamente sì. Non c'è niente di sbagliato. Il denaro non è una cosa cattiva, non è una cosa malvagia. Possiamo usarlo, come qualunque altra cosa, per scopi non proprio nobili, ma di per sé il denaro va benissimo. Se vuoi del denaro per vivere, se lo vuoi per utilizzarlo a fin di bene, se lo vuoi per condividerlo con la famiglia e con gli amici, è assolutamente perfetto.

Ho esposto nel film *The Secret* la mia visione dell'universo: un immenso catalogo in cui possiamo scegliere quello che vogliamo. Se vogliamo denaro, possiamo chiedere denaro.

Per quanto mi riguarda, il mio obiettivo non è mai stato il denaro. Il denaro mi piace, mi arriva, lo voglio. È uno strumento magnifico, avere del denaro è meraviglioso. Ma non è la mia priorità. Non credo che funzioni così, almeno non per me. Forse è così per altri, per i milionari e i miliardari, non posso saperlo.

Credo invece nell'aspetto del divertimento. Tra i miei eroi

c'è Richard Branson, magnate e miliardario, che afferma che il suo scopo è divertirsi. Dice di sì a tutto nella vita, sperimenta tutto e va sparato come un razzo.

Infatti ha in progetto di mandare la gente a fare turismo nello spazio. Il biglietto costerà attorno ai 100.000 dollari, ma non lo fa per soldi. Lo fa perché è una sfida e perché si diverte. È il divertimento l'obiettivo del suo cuore.

Oppure, prendete Donald Trump. È un miliardario, ma non lo sentirete mai dire: "Voglio fare soldi". Dice: "Mi piace fare affari". Esprime il suo amore attraverso gli affari e il denaro è solo un sottoprodotto. A volte ne guadagna, altre volte no. Ha attraversato momenti difficili, debiti e perdite. Ma non si è mai concentrato sul denaro, bensì su quello che gli piaceva: fare affari.

Per Branson sono le sfide, per me è tutto ciò che mi appassiona.

Come saprete, ho appena scritto un libro su un'antica tecnica hawaiana di guarigione che mi affascina. Si intitola *Zero Limits*, e questa idea di non avere nessun limite, di avere 'zero limiti', sta producendo effetti così stupefacenti sulla mia vita, come mai mi è accaduto prima, che le ho dato tutto il mio cuore e tutta la mia anima. Nel frattempo mi sono occupato di molte altre cose, progetti, viaggi, seminari e così via, ma il mio focus è sempre rimasto lì.

Se mi focalizzo su quello che amo e che mi appassiona, il lato economico si prende cura di se stesso. Se tu riuscissi a lasciar andare la tua preoccupazione per i soldi (e Miracles Coaching può aiutarti), se capisci perché per te sono così importanti e se non esprimi nessun giudizio sul tuo atteggiamento, se sposti l'attenzione sulla vita meravigliosa che hai già, se sposti l'attenzione su ciò che ami e che ti appassiona, sul tuo cuore, la preoccupazione per il lato economico scomparirà. Un giorno ti guarderai attorno e potrai dire: "Ragazzi, non so da dove vengono, ma ho mucchi di soldi".

Riassunto

Di per sé, il denaro non è altro che carta o metallo su cui sono stampate immagini bellissime. In se stesso non ha valore, siamo noi che gli diamo significato, riversandovi problemi di autostima e controllo. L'unico valore che ha è quello che gli diamo noi. La vostra attenzione deve essere focalizzata su di voi, non sul denaro.

Il mio consiglio è considerare il denaro come se fosse quello del Monopoli. In questo modo diventa divertente, perché è un gioco, non determina la vostra felicità o infelicità, il vostro valore o mancanza di valore. Il denaro non ha nulla a che fare con tutto questo. Il magnate e miliardario Richard Branson dice che è il divertimento che gli interessa, Donal Trump che quello che gli piace è fare affari. In entrambi i casi l'obiettivo è quello che piace, non il denaro.

Per quanto mi riguarda, non vado mai all'inseguimento del denaro e non è mai il mio obiettivo principale. I miei obiettivi sono la passione, il divertimento, la condivisione del cuore, la bellezza delle cose. Ma sto anche attento a farmi pagare per quello che faccio, perché la gente non dà valore a una cosa se non ha un prezzo.

Dal punto di vista del 'fattore attrazione' non dobbiamo avere attaccamento o dipendenza nei confronti del denaro, perché se esprimiamo bisogno, attaccamento e dipendenza, attiriamo squilibrio. In questo modo spingiamo via il denaro.

Concentratevi su ciò che amate. Tutti vogliamo amore, vogliamo amare ed essere amati. Se il vostro obiettivo è condividere il vostro cuore con le persone che lo vogliono, finirete col ricevere anche denaro. Vi arriverà come un sottoprodotto, un effetto collaterale. Ma non vi arriverà se rappresenta il vostro obiettivo principale.

Tutto ciò è possibile se considerate il denaro una cosa neutra e non fate dipendere la vostra autostima e il senso del vostro valore dai soldi. Lasciate che sia un derivato della soddisfazione che provate verso voi stessi.

Se mantengo la mia attenzione focalizzata su quello che amo e che mi appassiona, il lato economico si prende cura di se stesso.

Se riuscite a lasciar andare la vostra preoccupazione per i soldi (e Miracles Coaching può aiutarvi), se capite perché per voi sono così importanti e se non esprimete nessun giudizio sul vostro atteggiamento, se spostate l'attenzione sulla vita meravigliosa che avete già, se spostate l'attenzione su ciò che amate e che vi appassiona, sul vostro cuore, la preoccupazione per il lato economico scomparirà. Un giorno vi guarderete attorno e potrete dire: "Ragazzi, non so da dove vengono, ma ho mucchi di soldi".

Che cos'è il Miracles Coaching?

Se credete realmente nell'Io Sono, mettetelo alla prova osando essere adesso ciò che volete essere.

— NEVILLE GODDARD

Circa quindici anni fa feci una promessa a me stesso: ogni volta che mi fossi accorto di non essere 'pulito', sarei intervenuto immediatamente utilizzando uno dei metodi esposti in questo libro. In genere era sufficiente, ma devo ammettere che a volte mi sentivo inghiottito dalle sabbie mobili della mia stessa mente. In questi casi chiedevo aiuto.

Nel corso degli anni abbiamo creato un gruppo, che abbiamo chiamato Miracles Coaching, basato su un programma di aiuto alle persone.

Come sapete, ho sperimentato sulla mia pelle la differenza tra essere pulito e non esserlo. In passato, quando pensavo alla vita dei miei sogni (quella in cui accadono ogni giorno miracoli), mi fermavo e mi dicevo: ma chi voglio prendere in giro? Mi sembrava impossibile. A quel tempo ero un senza tetto.

Adesso so, come sapete anche voi, che i miracoli esistono. So anche che ripulirsi delle credenze limitanti è la chiave perché avvengano. Naturalmente è una bella sfida. Anzi, sono tre sfide in una: sapere *come* ripulirsi, *ripulirsi* e *rimanere* puliti.

Questo è l'argomento di questo libro, in cui vi ho insegnato dieci metodi per diventare puliti e per rimanere tali.

Ma c'è un'altra cosa. Come in molte aree della vita, diventare puliti e restare tali è più facile con un piccolo aiuto.

Questo aiuto è il Miracles Coaching, che vi offre la possibilità di avere una persona accanto durante il vostro processo di pulizia.

Molti mi chiedono come rimanere puliti con successo giorno per giorno. Vi dirò che avere a disposizione un facilitatore, un *miracles coach*, è quello che per me ha fatto la differenza.

Uno dei principali benefici di diventare e di rimanere

puliti è quello di essere presenti al momento, ed è stato proprio così che mi sono accorto che vecchi ricordi e vecchie credenze continuano a venire a galla.

C'erano addirittura situazioni in cui non me ne accorgevo. Non riuscivo ad avere quello che volevo e riuscivo soltanto a pensare che non l'avevo, o a desiderare di non aver fatto quello che avevo fatto. Vi suona familiare?

Scoprii che con l'aiuto di un'altra persona era più facile liberarmi dai ricordi e dalle credenze limitanti che mi impedivano di avanzare. Per questo ho creato il programma Miracles Coaching.

Il Miracles Coaching è uno strumento eccezionale per ripulirvi dalle credenze limitanti, perché vi dà l'opportunità di avere una persona esterna che vi aiuta a vederle, e questo fa davvero la differenza. Una mente esterna può vedere quello che noi non vediamo... finché non ne parliamo con un altro.

Come funziona il Miracles Coaching?

Spesso mi chiedono: "Joe, so che il Miracles Coaching funziona, ma *come* funziona? Che cosa lo rende così efficace?". Lo rendono così efficace quattro cose:

1. La struttura
2. La ricchezza dei metodi
3. L'esperienza dei facilitatori

4. La personalizzazione del programma

Vediamo uno per uno questi aspetti, che lavorano in sinergia per aiutarvi ad andare al di là di quello che potete fare da soli.

La struttura

Abbiamo ideato una struttura particolarmente adatta ai miracoli, che si basa su alcuni elementi fondamentali.

Tempi. Le sedute sono in genere settimanali, per un periodo che va dai tre ai sei mesi. Questa cadenza si è dimostrata molto efficace per portare alla luce e ripulire le credenze radicate più in profondità, approfondendo nello stesso tempo la comprensione della Legge dell'Attrazione. Inoltre, siete sempre in contatto per e-mail con il vostro facilitatore, che è anche disponibile per incontri intermedi tra le sedute.

Materiali. Vengono forniti esercizi e materiali da usare quotidianamente, perché è nella vita quotidiana che avvengono i miracoli. Questi strumenti vi consentono una continua esplorazione della vita, per aprire il cuore e la mente. Vi danno la capacità di cambiare i vecchi modi di pensare e favoriscono la consapevolezza delle infinite possibilità. Spesso la gente commenta: "Questi materiali valgono da soli il costo dell'intero programma". Come vedete, sono davvero potenti.

Riscontro. Il continuo riscontro o feedback è un altro strumento indispensabile, perché a volte è sufficiente ricevere conferma di essere sulla strada giusta per cancellare qualunque dubbio e passare all'azione.

Efficacia e impegno. Creando il programma Miracles Coaching, ho voluto creare qualcosa che favorisse anche la vostra grandezza. Ed è quello che fa, anche se voi non ci credete ancora. È verso questa grandezza che vi accompagna il vostro facilitatore (ovviamente in modo amorevole) attraverso l'impegno che prendete assieme all'inizio e attraverso le promesse che fate nel corso delle sedute.

Il vostro facilitatore si impegna per il vostro successo. È sempre pronto a discutere con voi punti e problemi che in altre situazioni sarebbe difficile affrontare. Questo impegno a vedere e ad affrontare tutto è uno dei doni più grandi del programma.

Quando una persona è disponibile a lavorare assieme a me ai problemi più difficili e intricati, so di avere trovare un vero partner.

Carattere esperienziale. Ogni sessione viene strutturata sulla precedente. Si tratta quindi di un percorso esperienziale passo dopo passo, non solo di un'esposizione teorica generale. Si lavora con l'effettiva consapevolezza di avere ripulito le credenze limitanti. Quando accade lo sento e divento più leggero! Sono questa chiarezza e questa leggerezza a far accadere miracoli nella vostra vita.

La struttura e il carattere esperienziale del programma aiutano sia chi sta già lavorando da tempo alla Legge dell'Attrazione sia i principianti a ripulirsi di tutta la robaccia da cui siamo sommersi.

La ricchezza dei metodi

Ho creato il programma Miracles Coaching basandomi sui materiali contenuti in *The Attractor Factor*, *The Secret*, *Zero Limits* e su altri segreti per manifestare le cose che non ho ancora spiegato nei miei libri. È questa ricchezza di metodi che è alla base della straordinaria efficacia del programma. E sono state le persone che li hanno provati e testati a dimostrarne l'efficacia nella creazione di miracoli.

L'esperienza dei facilitatori

Tutti i facilitatori del programma hanno alle spalle una lunga esperienza di aiuto e di spiritualità. Tutti sono stati formati e certificati da me. La loro esperienza è un valido strumento per accelerare i progressi delle persone con cui lavorano.

La personalizzazione del programma

Conoscete il programma televisivo *This is Your Life*? Gli ospiti raccontano quello che qualcuno ha fatto per loro e che cosa hanno fatto in cambio per esprimere la loro gratitudine. Ma qui siete voi a essere sotto i riflettori, questa è la *vostra* vita e questi sono i miracoli che *voi* meritate.

Il vostro facilitatore è lì per aiutarvi ad attirare i miracoli che vi meritate. Esamina assieme a voi il punto in cui siete, i vostri desideri, le vostre qualità, il vostro personale stile di apprendimento e molti altri fattori che fanno del programma il *vostro* programma di Miracles Coaching.

A seconda di come siete fatti, avete bisogno di tipi diversi di informazione a livelli diversi di profondità. Perciò il vostro facilitatore vi aiuterà a trovare ciò che è adatto a voi e non ad altri.

Tutti questi fattori (struttura, ricchezza di metodi, esperienza, personalizzazione e la totale dedizione del vostro facilitatore) contribuiscono alla creazione dei risultati.

Ma che cos'è un facilitatore?

Quando mi fanno questa domanda, rispondo così: quando lavoro con un facilitatore, voglio che sia una persona intelligente e compassionevole, che si prenda cura degli altri e che possieda un'ampia gamma di esperienze. Per questo i facilitatori provengono da una varietà di discipline e sono arrivati al Miracles Coaching attraverso strade diverse. Ci sono scrittori, artisti, esperti di finanza, di management, di marketing e personal trainer. Ma tutti si impegnano a condividere i loro doni con gli altri.

La capacità dei facilitatori di vivere una vita piena di miracoli e la volontà del cliente di attirare miracoli creano l'atmosfera giusta per far accadere cose meravigliose.

Se volete attirare miracoli nella vostra vita e avete bisogno di una persona che vi aiuti a ripulirvi dal passato e a creare uno splendido futuro, venite al Miracles Coaching.

Per ulteriori informazioni:
www.miraclescoaching.com.

Libertà emozionale al 100 per cento

Liberarsi dai pensieri e dalle emozioni indesiderate

Peter Michel (www.emotionalfreedom101.com)

Che cosa sono le emozioni?

Le emozioni sono programmi (esattamente come quelli dei computer) inseriti nella mente *pro*-sopravvivenza. Purtroppo si rivelano *anti*-sopravvivenza, perché sono costruiti sul passato e ci fanno agire/reagire in base a esso, invece di rispondere al momento presente. Danneggiano la nostra responsabilità, cioè la capacità di discriminare e di rispondere adeguatamente. Possono spingerci in situazioni limite come stenderci sui binari mentre un treno arriva a tutta velocità e non vederlo nemmeno. Le emozioni possono tenerci completamente in loro potere. Invece di funzionare, fanno funzionare noi. Tutti questi programmi derivano da una cosa sola: il *desiderio*, un senso di *mancanza*.

Dove sono le emozioni?

Le emozioni sono nella mente, ma si esprimono nel corpo sotto forma di sensazioni. Il corpo è un'estensione (o una condensazione) della mente e dei modelli ripetitivi di pensiero. Il corpo non fa nulla senza che nella mente si sia formato in precedenza il pensiero corrispondente. È molto simile al corpo che vediamo in sogno: ci sembra molto reale, ma al risveglio comprendiamo che era reale solo nella mente. Lo stesso vale per il corpo nello stato di veglia, che spesso si trasforma in un incubo a causa delle emozioni gestite male.

Il corpo è come una 'stampata' uscita da un computer. Attraverso lo stato del corpo riconosciamo lo stato della mente. È teso o rilassato? Sta bene o male? Ha paura e sente un nodo allo stomaco? Oppure è rilassato perché la mente è fiduciosa? Respiriamo in modo affannoso, ridotto e superficiale, oppure facciamo lunghi e profondi respiri diaframmatici?

Di chi sono le emozioni?

Le vostre emozioni sono dei vostri genitori? Dei vostri vicini? Del vostro partner? Dei vostri figli? Di chi sono le emozioni/sensazioni che sperimentate nel corpo? Sono *vostre*, è ovvio. Ma questa è la bella notizia: se non vi piacciono, potete fare qualcosa per cambiarle.

Perché liberarsi dalle emozioni?

Perché volete essere felici. Perché volete essere liberi. Perché volete essere abbondanti e in pace.

Lasciar andare le emozioni/sensazioni negative rende la mente tranquilla, cancella i programmi di auto-sabotaggio, attira abbondanza con facilità e ci dà una felicità che non ci abbandona mai.

In qualunque momento, o agiamo in base al senso di mancanza/limitazione, che è come un virus nel nostro computer, oppure le rimuoviamo/scarichiamo dal sistema corpo-mente, consentendogli di funzionare senza intralci come un supercomputer. Momento per momento, la scelta è sempre nostra.

Quasi tutte le malattie sono legate allo stress. Tutte le mancanze derivano dai pensieri limitanti del corpo-mente. I rapporti distruttivi derivano da emozioni negative di non amore che sono state represse e vengono in seguito proiettate sui nostri partner, familiari e amici.

Quindi, che cosa preferite? Alimentarle e sperimentare sempre più mancanza, malattia e disarmonia? Oppure lasciarle andare e sperimentare sempre più abbondanza, salute e amore?

Come fare per lasciar andare le emozioni/sensazioni indesiderate?

C'è un unico momento in cui lavorare alle nostre emozioni: *adesso*.

Anche se la mente balza avanti e indietro in quello che chiamiamo tempo, possiamo lavorare con le nostre emozioni solo nel momento presente. Se siamo nel momento presente, possiamo affrontare le emozioni/sensazioni come *energie*.

Quante volte ci siamo detti: "Me ne occuperò dopo", e quante volte questo 'dopo' non è mai arrivato? Quindi, perché non lasciarle andare adesso, nel momento stesso in cui ve ne accorgete, invece di continuare a portarvele dietro?

E le emozioni positive? Perché dovrei lasciar andare anche queste?

Non esistono emozioni positive o negative. C'è un'unica energia emozionale (e-mozione = energia in movimento), che etichettiamo come positiva o negativa.

Ma, per il momento, supponiamo che ci siano emozioni positive e negative.

Quando lasciate andare un'emozione negativa, vi sentite più liberi, leggeri e felici perché l'emozione negativa *finisce*.

Quando lasciate andare un'emozione positiva, vi sentite più liberi, leggeri e felici perché l'emozione positiva *cresce*.

Quindi, lavorando per lasciar andare tanto le emozioni negative quanto quelle positive... quelle negative finiscono e quelle positive crescono.

Bel colpo, no?

In realtà, quello che state facendo è togliere il coperchio che nasconde il vostro vero sé, che è pura felicità.

Le emozioni ricoprono la nostra vera natura, nascondendola. Ci costringono a guardare continuamente in un'altra direzione rispetto all'essere perfetto, intero e completo che siamo in realtà.

Pensieri ed emozioni cambiano continuamente, perché appartengono al regno dei fenomeni. Vanno e vengono come il tempo atmosferico. Lasciarle andare vi trasporta *al di là* della limitazione dei fenomeni, nella dimensione del noumeno, la base dell'essere chiamata a volte coscienza testimone. È questo il vero 'io' a cui ci riferiamo quando diciamo "Io..." parlando di noi stessi.

Vi siete mai chiesti come sareste in quanto puro 'io' privo di etichette e di qualsiasi associazione con qualunque altra cosa? Questo puro nucleo immutabile, incorruttibile, inalterabile e sempre felice, sempre libero e sempre gioioso? Perché è questo che *siamo*.

Lester Levenson dice: "Il modo più facile per entrare in contatto con il Sé (Dio) è sentire profondamente un 'io', o un 'Io Sono', senza nessuna aggiunta. Questo sentire è il Sé, il vero Sé interiore. Nel momento stesso in cui vi aggiungiamo qualcosa, come 'io sono bravo o catti-vo', 'povero o ricco', 'grande o piccolo', 'questo o quel-lo', stiamo imponendo una limitazione all'Io Sono e cre-iamo quindi un ego".

Tutte le emozioni positive sono di fatto il nostro vero essere, che sperimentiamo quando lasciamo andare tutto ciò che lo nasconde. Quando lasciamo andare le emozio-ni, la mente si calma e il senso innato del Sé (la felicità) si manifesta spontaneamente. Troppo spesso, invece, at-tribuiamo questa felicità a una persona, a una situazione o a una cosa che ci 'rende felici'. Ciò che accade in realtà è che un desiderio è stato soddisfatto, la mente si è placa-ta e noi abbiamo gustato il cibo delizioso del nostro stes-so essere, attribuendo però la causa alla persona, alla si-tuazione o alla cosa che pensiamo abbia prodotto in noi quella sensazione. "Sono felice perché sono innamorato di...", "Sono felice perché ho tutto questo denaro", "Sono felice perché ho un'auto nuova (un lavoro, un successo, un riconoscimento e così via)". Non è mai così.

Un buon esempio è la storia del cane che trovò un osso. "Hmmm, deve essere delizioso", pensò. Lo prese in bocca, lo masticò, ma l'osso era così vecchio e induri-to che gli tagliò la bocca come un rasoio. La bocca si riempì di sangue, il cane lo assaggiò e disse: "Hmmm, davvero un osso succulento". E continuò a masticarlo e a gustare il suo stesso sangue. Vi suona familiare?

Quello che stiamo davvero cercando è il 'succo' della nostra pura coscienza silenziosa (consapevolezza), al di là dei pensieri, delle emozioni e della forma. Quando siamo nello spazio silenzioso dell'essere, non ci sono emozioni. Emozioni e sensazioni ricominciano solo quando ritorniamo nella mente e pensiamo: "Che meraviglia essere senza tutti quei dolorosi pensieri!". La mente non può mai riconoscere la pace del nostro vero Sé. Il suo compito è quello di etichettare e definire ("Sono felice", "Sono infelice" ecc.). Etichetta e giudica. Appena etichettiamo e giudichiamo, non siamo più nell'esperienza presente. Stiamo pensando all'esperienza. È come guardare una fragola disegnata invece di gustare una fragola vera.

Come si manifestano le emozioni?

Le emozioni si possono manifestare sotto forma di sensazioni fisiche:

- Energia
- Calore
- Formicolio
- Pressione
- Onde
- Prurito
- Dolore
- Sbadiglio (per muovere l'energia)
- Tensione
- Rigidità/contrazione
- Costrizione

- Blocco
- Leggerezza
- Pesantezza
- Intorpidimento

Come fare per lasciar andare le emozioni?

Nelle pagine seguenti troverete 17 metodi per liberarvi da pensieri ed emozioni indesiderate, ma ce ne sono molti di più.

Qual è il modo più rapido e più efficace per ripulirsi dalle emozioni?

È una tecnica chiamata Release© Technique, che viene insegnata in un corso chiamato Abundance Course©.

Il corso può essere seguito dal vivo oppure attraverso un kit di CD da studiare a casa e materiali scritti. Il mio consiglio è quello di seguirlo dal vivo, perché la guida di un insegnante esperto è lo strumento più efficace per ottenere i risultati migliori. Materiali audiovisivi e materiali scritti supportano quello che avete imparato di persona al corso: sviluppare i 'muscoli del lasciar andare' e la capacità di liberarvi istantaneamente delle emozioni indesiderate.

La maggior parte delle tecniche descritte nelle pagine successive *non* fanno parte del corso, ma sono comunque di provata efficacia nel lasciar andare le emozioni che causano inutile sofferenza.

Sono tecniche che ho sviluppato nel corso di anni di esplorazione delle emozioni e sono molto efficaci, perché non servono a lasciar andare un'emozione alla volta, ma recidono la radice di tutte le negatività, il senso di mancanza e di limitazione. Andando direttamente alla radice del problema, il metodo Release Technique è l'unico che porta a riconoscere questa radice e consente di reciderla in modo rapido ed efficace.

Perché recidere la radice delle emozioni?

Se non la recidete, la radice continuerà a produrre altra negatività, altro senso di mancanza e altre limitazioni. Quando la radice delle emozioni è recisa, la mente si calma più rapidamente della loro possibilità di rigenerarsi. Alla fine, la vostra mente sarà perfettamente calma.

Per descrivere questa calma, io uso la seguente immagine: pensate di essere alle tre del mattino in un paesaggio deserto e completamente innevato. Tutto è pace e silenzio. È questo lo stato naturale della pura consapevolezza che si manifesta quando la mente è in pace.

Per descrivere la recisione della radice, uso invece quest'altra immagine. Pensate a un tostapane automatico doppio o triplo. Infilate una fetta di pane e il tostapane scatta e viene fuori la fetta già pronta. E così via e così via. Oppure a una macchina che spara le palle da tennis. Palle e fette di pane continueranno a uscire finché non spegnete la macchina. Spenta la macchina, tutto è pace e silenzio.

Come usare queste tecniche

Quando avete un pensiero, un'emozione indesiderata, ripassate le 17 tecniche seguenti e scegliete quella che vi sembra più adatta alla situazione.

Non è una cassetta degli attrezzi completa, ma vi offre alcuni strumenti diversi tra loro e tutti efficaci.

Il fatto è che non funzioniamo tutti allo stesso modo e, a seconda del momento, la mente può opporsi a uno strumento, ma accettarne un altro per liberarsi dalle emozioni negative (programmi anti-sopravvivenza). La mente rimane attaccata a questi programmi perché crede che la proteggano, ma se osservate quante volte le vostre emozioni distruttive hanno sabotato la vostra vita, la vostra salute, la vostra situazione economica e i vostri rapporti, capirete che non sono affatto utili. Attraverso la paura e la negatività, la vostra mente vi ha mantenuti focalizzati su quello che *non* volete e in questo modo avete attirato sempre più cose *non* desiderate. Queste tecniche invertono la tendenza, consentendovi di lasciar andare le emozioni negative e di focalizzarvi sull'attirare quello che *volete* davvero.

Domande e risposte

Domanda: Come faccio a sapere se mi sto davvero liberando dalle emozioni?

Risposta: Attraverso una semplice misurazione. Prima di usare uno strumento, misurate l'intensità dell'emozione su una scala da 0 a 10, in cui 0 corrisponde alla pace e alla libertà e 10 al massimo dell'emozione e all'agitazione. Poi, dopo avere applicato lo strumento che avete scelto, misurate di nuovo il grado eventuale dell'emozione residua.

In questo modo verificate l'efficacia del vostro lavoro. È molto importante, perché la mente è attaccata alle emozioni e tenta di convincerci che stiamo facendo un lavoro inutile che non ci porta da nessuna parte, sperando di indurci a lasciar perdere. La misurazione ci fa capire invece i cambiamenti avvenuti nella scala di intensità emozionale.

D: Che cosa devo fare se mi sento bloccato?

R: Lasciar andare il desiderio che qualcosa cambi o che la sensazione di essere bloccato scompaia. Vedrai che cambierà.

D: Io non sento niente. Come faccio a lasciar andare quello che non sento?

R: Non puoi. Prima devi sentire l'emozione per poi lasciarla andare. Non è necessario sentirla in tutta la sua intensità, basta portarla in parte alla coscienza.

Spesso abbiamo represso le emozioni così a lungo e siamo vissuti così tanto nella nostra testa che abbiamo dimenticato che cosa significa provare un'emozione. Tendiamo moltissimo alla repressione. È questa resistenza che nasconde e non ci fa vedere le emozioni. Accogli qualunque senso di vuoto o di nebbia, anche queste sono emozioni. Notale e lascia andare il desiderio che cambino. Cambieranno e riveleranno strati più profondi che sino a questo momento sono stati repressi. Quando questi strati vengono a galla, usa uno degli strumenti descritti.

D: E se sono già in cura da un terapista a causa delle mie condizioni mentali o emozionali?

R: Questi strumenti non sostituiscono la terapia, ma sono validi aiuti. Se sei in terapia, consulta il tuo terapista prima di usarli. Alcuni portano a galla contenuti emozionali molto forti, che rischiano di travolgerti se il tuo stato mentale è particolarmente debole. Se prendi ansiolitici e psicofarmaci, chiedi al tuo medico di ridurli, perché questi farmaci reprimono le emozioni, effetto che si oppone al lavoro di liberazione e di risoluzione.

D: Quando lascio andare un'emozione, viene sostituita da un'altra ancora più forte.

R: Le emozioni represse sono come gli strati di una cipolla. Ne togliamo uno e sotto ce n'è un altro, più profondo. Più ne togli e più ti senti leggero. Il metodo più rapido è Release Technique, che ti porta alla radice di tutti gli strati e rimuove facilmente il 'ceppo' da cui le emozioni nascono.

Le tecniche

Siete pronti? Incominciamo.

Per ogni tecnica vi descriverò i passi necessari. A volte si ripetono, ma le ripetizioni servono a farvi prendere confidenza con il processo di entrare in contatto diretto con l'energia dell'emozione, al di là della sua etichettatura mentale e della semplice comprensione intellettuale.

Libertà emozionale al 100 per cento: 17 metodi per liberarvi immediatamente dai pensieri e dalle emozioni indesiderate

1 - Accogliere l'emozione

Accogliere un'emozione è il contrario di reprimerla. Accoglierla scioglie le resistenze che in genere la reprimono o la bloccano.

Per accogliere un'emozione potete seguire questi passi:

1. Piegate la testa in avanti e posate la mano sull'addome o sul petto per aiutarvi a *sentire* l'emozione.
2. Sentite l'emozione nel corpo.
3. Misuratela su una scala da 0 a 10.
4. Assumete un atteggiamento di accoglienza, come se deste il benvenuto a un amico che suona alla porta. Aprite

la porta all'emozione e lasciatela entrare, invitandola nella vostra consapevolezza e accogliendola nella vostra coscienza, invece di guardare da un'altra parte per evitarla.

5. Accogliendo un'emozione che non avete mai voluto vedere, sentirete che si scioglie e si dissolve (perché avete smesso di fare resistenza).

6. Misuratela di nuovo sulla scala da 0 a 10. È diminuita? Se è così, siete sulla strada giusta. Continuate l'esercizio finché l'intensità dell'emozione scende a 0. Se non diminuisce, ripetete dall'inizio l'esercizio o provate un altro metodo.

2 - Scendere nell'emozione

Se scendete fino al nucleo di un'emozione, possono accadere due cose. Se è un'emozione negativa (rabbia, angoscia, paura) scompare quasi all'istante. Se è un'emozione positiva (pace, amore, gratitudine) aumenta di intensità. Questo esercizio è simile a quello di accogliere l'emozione, con alcune differenze.

1. Piegate la testa in avanti e posate la mano sull'addome o sul petto per aiutarvi a *sentire* l'emozione.

2. Sentite l'emozione nel corpo.

3. Misuratela su una scala da 0 a 10.

4. Scendete profondamente nell'emozione, portando la consapevolezza fino al suo nucleo e osservando che cosa trovate.

5. Che cosa c'è al cuore dell'emozione? Com'è?

6. Se siete davvero arrivati al nucleo dell'emozione, invece di limitarvi a etichettarla intellettualmente, notate che si scioglie e inizia a scomparire (oppure, che è scomparsa del tutto), come se non ci fosse più niente che la 'tiene assieme'. Un'unica cosa la teneva lì: la resistenza a sentirla. Scendendo nell'emozione la portiamo alla coscienza e la coscienza la dissolve.
7. Misuratela di nuovo sulla scala da 0 a 10. È diminuita? Se è così, siete sulla strada giusta. Continuate l'esercizio finché l'intensità dell'emozione scende a 0. Se non diminuisce, ripetete dall'inizio l'esercizio o provate un altro metodo.

Se la nostra resistenza è 0, le emozioni ci passano attraverso mentre noi rimaniamo aperti e liberi.

3 - Rafforzamento intenzionale (Raddoppio)

Perché rafforzare o raddoppiare volontariamente l'intensità di un'emozione?

Sì, avete indovinato: perché in questo modo l'emozione si dissolve.

Una volta lavoravo in una clinica olistica, la più grande della costa orientale. Il direttore, che era un agopuntore e un esperto di medicina orientale, mi disse che il modo migliore per far passare un crampo alla gamba è 'premerlo per farne uscire i demoni'. Mi spiegò che se a una situazione yang (tensione) applichiamo un'altra situazione yang (più tensione), creiamo una situazione yin (rilassamento). Feci la prova e funzionò. Lo stesso principio si applica perfettamente alle emozioni.

1. Piegate la testa in avanti e posate la mano sull'addome o sul petto per aiutarvi a *sentire* l'emozione.
2. Sentite l'emozione nel corpo.
3. Misuratela su una scala da 0 a 10.
4. Aumentate o raddoppiate volontariamente la sua intensità.
5. Aumentatela ancora, ancora, ancora...
6. Aumentando l'intensità, noterete che si scioglie e inizia a scomparire.
7. Misuratela di nuovo sulla scala da 0 a 10. È diminuita? Se è così, siete sulla strada giusta. Continuate l'esercizio finché l'intensità dell'emozione scende a 0. Se non diminuisce, ripetete dall'inizio l'esercizio o provate un altro metodo.

Questa tecnica funziona per due motivi:
1. Secondo la fisica quantistica, due cose non possono occupare lo stesso punto nello stesso tempo. Se sentite una sensazione e nello stesso tempo tentate di sentirne *di più*, le due cose si escludono a vicenda.
2. La non resistenza scioglie. Se consentite all'emozione di aumentare non state facendo resistenza. In questo modo l'emozione viene a galla, vi attraversa e scompare senza sforzo.

4 - Lasciar andare il desiderio che l'emozione se ne vada

Se abbiamo un pensiero o un'emozione che non vogliamo, lottiamo per scacciarli. Facciamo resistenza e cerchiamo di allontanarli, ma l'effetto che otteniamo è quello di rimanervi attaccati.

Se invece lasciamo andare il desiderio di cambiarli, di controllarli o di allontanarli, senza fare resistenza, permettiamo che cambino e scompaiano, lasciando al loro posto un senso di libertà e di apertura. Lasciar andare il desiderio 'che la cosa cambi' produce un cambiamento sull'energia bloccata o che fa resistenza alla percezione.

1. Piegate la testa in avanti e posate la mano sull'addome o sul petto per aiutarvi a *sentire* l'emozione.
2. Sentite l'emozione nel corpo.
3. Misuratela su una scala da 0 a 10.
4. Notate se è un'emozione che non volete e che vorreste allontanare.
5. Lasciate andare il desiderio che cambi o che se ne vada, soltanto per questo momento.
6. Notate se si è ridotta di intensità o se è scomparsa del tutto.
7. Misuratela di nuovo sulla scala da 0 a 10. È diminuita? Se è così, siete sulla strada giusta. Continuate l'esercizio finché l'intensità dell'emozione scende a 0. Se non diminuisce, ripetete dall'inizio l'esercizio o provate un altro metodo.

Volere che un'emozione cambi o che se ne vada è come

dire alla mente che manca qualcosa, e la mente rimane attaccata a questa mancanza.

Al contrario, lasciar andare questo desiderio consente alla mente di scorrere.

5 - Dare amore

1. Piegate la testa in avanti e posate la mano sull'addome o sul petto per aiutarvi a *sentire* l'emozione.
2. Sentite l'emozione nel corpo.
3. Misuratela su una scala da 0 a 10.
4. Notate qualunque reazione non amorevole nei confronti di una vostra emozione.
5. Decidete di dare amore a qualunque vostra emozione.
6. Date amore a voi stessi e alle vostre sensazioni seguendo questi tre passi:
   (a) Dite: "Ti amo", alla vostra emozione.
   (b) Consentitevi di dare amore alla vostra emozione.
   (c) Date amore a voi stessi mentre percepite la vostra emozione.
7. Accettate/approvate qualunque pensiero o emozione.
8. Misuratela di nuovo sulla scala da 0 a 10. È diminuita? Se è così, siete sulla strada giusta. Continuate l'esercizio finché l'intensità dell'emozione scende a 0. Se non diminuisce, ripetete dall'inizio l'esercizio o provate un altro metodo.

L'amore ha quattro aspetti: lasciar essere, accettare, approvare e apprezzare. Scegliete uno di questi aspetti (o più di uno) e datelo alla vostra emozione.

La resistenza è la forza 'congelante' che blocca emozioni e sensazioni.

Lasciar essere, accettare, approvare e apprezzare scioglie la forza congelante, consentendo all'energia di scorrere.

L'amore è lo scongelatore universale che scioglie le emozioni bloccate, irrigidite e limitanti, come la lama riscaldata di un coltello che affonda nel burro.

Questo esercizio vi consente di riappropriarvi di tutte le energie che avete inconsciamente investito resistendo e opponendovi alle vostre emozioni.

6 - Lasciar andare le emozioni indesiderate apprezzandole

Questo esercizio è molto simile al precedente, salvo che gli obiettivi sono l'apprezzamento e la gratitudine.

1. Piegate la testa in avanti e posate la mano sull'addome o sul petto per aiutarvi a *sentire* l'emozione.
2. Sentite l'emozione nel corpo.
3. Misuratela su una scala da 0 a 10.
4. Sentite gratitudine per l'emozione (pensiero, sensazione) e ditele: "Grazie".
   • Perché sentire gratitudine? Perché un'emozione o un pensiero negativo è lì per il fatto che, a livelli diversi, pensate che vi serva, forse per mettervi al riparo da qualcosa. La verità è che solo le emozioni positive danno

sicurezza. Le emozioni negative ci riempiono di negatività. Sentire gratitudine ci dà invece positività, e non possiamo stare bene e male nello stesso tempo.

- Non potete sentirvi grati ed essere negativi nello stesso tempo, e in questo modo la negatività si dissolve.

5. Misuratela di nuovo sulla scala da 0 a 10. È diminuita? Se è così, siete sulla strada giusta. Continuate l'esercizio finché l'intensità dell'emozione scende a 0. Se non diminuisce, ripetete dall'inizio l'esercizio o provate un altro metodo.

7 - Lasciar 'cadere' l'emozione

Questo è uno dei metodi più rapidi ed efficaci per lasciar andare qualunque pensiero o emozione negativa.

1. Prendete una penna.
2. Stringetela nel pugno.
3. Posate la mano che stringe la penna sul punto (addome, stomaco) in cui percepite l'emozione.
4. Percepite la tensione della mano, che stringe la penna sempre più forte finché la tensione diventa insopportabile.
5. È così che tratteniamo e stringiamo le nostre emozioni!
6. Ora allungate il braccio, continuando a tenere stretta la penna e con le nocche rivolte verso l'alto.
7. Aprite la mano e lasciate cadere la penna.
8. Facile, no? Lasciar andare istantaneamente *qualunque* pensiero o emozione è altrettanto facile.

8 - Paragonare coscientemente

Anche se non ci faremmo mai del male e non ci limiteremmo mai consapevolmente, inconsciamente lo facciamo tutti i giorni.

Se rendiamo l'inconscio conscio, possiamo discriminare (vedere quello che stiamo facendo) e quindi lasciar andare in modo spontaneo tutto ciò che non ci serve.

È la discriminazione che rende possibile il lasciar andare. Paragonare coscientemente ci fa capire che non siamo le nostre emozioni, che le emozioni non ci hanno in loro potere e che possiamo scegliere se rimanere attaccati alle emozioni o lasciarle andare.

Ecco una serie di domande da farvi per aumentare la discriminazione. È un esercizio di consapevolezza che usa la mente per sciogliere le sue stesse limitazioni.

Dopo ogni domanda, chiedetevi quale alternativa scegliete in questo momento.

1. Quando penso a... (un problema o una situazione che vi provoca stress), mi sento positivo o negativo? *Scelgo consapevolmente di essere positivo.*
2. Sono libero o legato? *Che cosa scelgo?*
3. È amore o paura? *Che cosa scelgo?*
4. È dubbio o fiducia? *Che cosa scelgo?*
5. È abbondanza o mancanza? *Che cosa scelgo?*
6. È unità o divisione? *Che cosa scelgo?*
7. È pace o agitazione (paura)? *Che cosa scelgo?*
8. È apertura/rilassamento o contrazione? *Che cosa scelgo?*
9. Sono uno con questa persona/emozione/problema o sono

separato? *Che cosa scelgo?*

10. Sto dicendo 'sì' o 'no' a... (abbondanza, libertà, me stesso, i miei obiettivi)? *Che cosa scelgo?*
11. Sto accogliendo o rifiutando? *Che cosa scelgo?*
12. Sono aperto o chiuso? *Che cosa scelgo?*
13. Sono rilassato o contratto? *Che cosa scelgo?*
14. Voglio essere libero o legato? Felice o infelice? In pace o nella paura? Sicuro o insicuro? *Che cosa scelgo?*
15. Sto afferrando e controllando, o sto accettando e lasciando che le cose siano? *Che cosa scelgo?*
16. Sto dando agli altri e alla vita, o voglio/desidero solo delle cose da loro? *Che cosa scelgo?*
17. Sono interiormente silenzioso o rumoroso? *Che cosa scelgo?*

9 - *Essere come il cielo*

La natura ci ricorda la nostra *vera natura*.

1. Guardate il cielo.
2. Ci sono delle nuvole che corrono?
3. Notate come il cielo non trattiene le nubi (né aerei, uccelli, satelliti ecc.) e non le spinge via. Non rifiuta e non reagisce. Il cielo rimane sempre quello che è: spazio aperto.
4. Sentite l'apertura e la spaziosità del cielo.
5. Sentite che cosa risveglia in voi questa spaziosità e questa apertura: una consapevolezza più ampia, più espansa e più profonda.
6. Se dentro di voi sorgono pensieri o emozioni, guardate-

li mentre passano come se fossero nuvole. Osservateli senza attaccamento e senza desiderio che se ne vadano. Lasciate semplicemente che vi attraversino.

7. Continuate a ritornare al senso di apertura e spaziosità interiore, che è la stessa apertura e spaziosità del cielo.

Non potete vedere nulla al di fuori di voi se non è già dentro di voi. Perciò, la spaziosità e l'illimitatezza del cielo sono anche dentro di voi.

10 - Far 'galleggiare via'

Spesso la mente ci costringe dentro pensieri rapidi come torrenti impetuosi.

Non siamo costretti a seguire questi pensieri.

Se vi sentite precipitare dentro pensieri o emozioni indesiderate, provate il seguente esercizio.

1. Immaginate di inginocchiarvi sulla sponda di un torrente impetuoso, rimanendo al sicuro sulla riva.
2. Sentite pensieri ed emozioni che corrono impetuosi dentro di voi.
3. Gettate nel torrente pensieri/emozioni impetuosi.
4. Guardate con che rapidità la corrente li porta via.
5. Lasciate che pensieri, emozioni, sensazioni o preoccupazioni raggiungano il mare e si sciolgano nella sua vastità come si scioglie il sale.
6. Riportate la consapevolezza al vostro Sé immobile e silenzioso, tranquillamente seduto sulla riva e libero da qualunque agitazione.

7. Ogni volta che sorge una nuova emozione, gettatela nel torrente che si incaricherà di portarla al mare, lasciandovi interiormente in perfetta pace.

11 - Lasciar andare le critiche verso voi stessi e verso le vostre emozioni

Molti criticano continuamente se stessi e le loro emozioni. È come avere una gamba rotta e percuoterla con un bastone. Non aiuta di certo! Aumenta il dolore e ne peggiora le condizioni.

Quando provate emozioni indesiderate, fate il seguente esercizio.

1. Osservate l'energia della critica.
2. Accoglietela.
3. Consentitevi di lasciar andare qualunque energia critica nei confronti di voi stessi, dei vostri pensieri e delle vostre emozioni.
4. Ripetete l'esercizio un'altra volta... un'altra... e un'altra ancora, finché la critica scompare.
5. Ogni giorno concedetevi il tempo per notare qualunque critica e condanna nei vostri confronti, lasciatela essere e poi lasciatela andare.

Cercare di procedere nella vita e di amare criticando o condannando noi stessi è come cercare di guidare tenendo premuto il pedale del freno. È impossibile amare se giudichiamo e condanniamo noi stessi, come purtroppo facciamo spesso.

Lasciando andare l'energia della critica, vi sentirete liberi di passare più facilmente all'energia dell'*approvazione*.

12 - Darsi approvazione

Date a voi stessi approvazione incondizionata, per il semplice fatto di respirare e di essere vivi!

Che cosa significa darsi approvazione? Significa accettarsi e amarsi. Se vi riesce difficile, ritornate all'esercizio precedente e allenatevi ancora a lasciar andare la critica; altrimenti, continuerete a guidare con il pedale del freno premuto. Mi ha insegnato questo esercizio Kam Bahkshi, un'esperta di Release Technique.

1. Iniziate con una goccia di approvazione, una quantità molto piccola. Fatela cadere sulla vostra testa e sentite che vi penetra dentro.
2. Ora fate la stessa cosa con una quantità maggiore: un cucchiaino da caffè. Accoglietela.
3. Ora un po' di più: una tazzina da caffè.
4. Un po' di più: una bella tazzona.
5. Un po' di più: un secchio.
6. Un po' di più: una cascata di approvazione.
7. Immergetevi in un lago di energia positiva e amorevole di auto-approvazione.
8. Immergetevi in un oceano di approvazione.
9. Fluttuate come una spugna in questo oceano di pura

accettazione e auto-approvazione.
10. Lasciate che permei ogni vostra cellula. Lasciatevi 'marinare' dentro.

Imparate a memoria questo esercizio e ripetetelo ogni giorno a occhi chiusi. È un metodo molto potente per ottenere salute, felicità, abbondanza e libertà.

13 - *Liberare un palloncino rosso*

Questo metodo mi è stato insegnato per liberarmi dal mal di testa. L'ho trovato davvero efficace (i mal di testa non mi tormentano più). Si può applicare a qualunque tipo di dolore, e altrettanto bene ai pensieri e alle emozioni indesiderate.

1. Sentite l'emozione indesiderata (o un dolore) nel corpo.
2. Vedete l'area interessata come una rossa energia fiammeggiante.
3. Avvolgete l'energia in un palloncino rosso e chiudetelo con uno spago.
4. Lasciatelo uscire dal vostro corpo e salire nel cielo.
5. Guardatelo salire e salire mentre diventa sempre più piccolo, finché scompare. Lasciatelo andare completamente.

14 - Evaporazione completa

Ecco un'altra tecnica di 'sparizione'.

1. Immaginate che pensieri/emozioni indesiderati siamo come acqua.
2. Immaginate che evaporino come gocce d'acqua che cadono su una piastra incandescente.
3. Mentre evaporano, sentite l'apertura creata dalla loro scomparsa.
4. Rilassatevi in questa apertura.

La minaccia rappresentata dalle emozioni negative sembra molto reale, ma in realtà è un miraggio come quelli prodotti dal caldo nel deserto o dell'asfalto. Sembra acqua, ma è solo un miraggio privo di sostanza. Lasciate che pensieri ed emozioni indesiderate evaporino completamente, scomparendo come il miraggio che di fatto sono.

15 - Aprire/chiudere la valvola per controllare il flusso

Le emozioni represse sono energia (fotonica). Quando questa energia emerge, reprimerla (tenerla sotto controllo) richiede altra energia. Smettendo di esercitare questa pressione, vivremo bene e rilassati.

Ecco un esercizio per smettere di esercitare questa pressione.

1. Piegate la testa in avanti e posate la mano sull'addome

o sul petto per aiutarvi a *sentire* l'emozione.

2. Sentite l'emozione nel corpo.

3. Misuratela su una scala da 0 a 10.

4. Sentite l'emozione come se fosse acqua compressa nel-
l'addome o nel petto.

5. Immaginate che l'acqua sia trattenuta da una valvola.

6. Aprite la valvola e lasciate che l'acqua erompa libera-
mente.

7. Potete aprire e chiudere la valvola a vostro piacere per
controllare il flusso.

8. Lasciate uscire e scorrere le emozioni fino a sentirvi
interiormente in pace.

9. Misuratela di nuovo sulla scala da 0 a 10. È diminuita?
Se è così, siete sulla strada giusta. Continuate l'esercizio finché l'intensità dell'emozione scende a 0. Se non
diminuisce, ripetete dall'inizio l'esercizio o provate un
altro metodo.

16 - *Lasciar andare solo l'1 per cento*

A volte abbiamo paura di lasciar venire a galla e di lasciar andare tutte le nostre emozioni represse.

Se avete paura che vi spazzino via, sappiate che non
dovete per forza lasciarle andare tutte assieme.

Provate questo esercizio.

1. Notate se un'emozione vi sembra troppo grande.

2. In questo caso, prendetene solo l'1 per cento.

3. Lasciate andare questo 1 per cento (lasciandolo 'cadere'
o usando uno dei metodi che ho descritto).

Probabilmente scoprirete di aver lasciato andare molto più di quel semplice 1 per cento, e vi sentirete molto più liberi e leggeri.

17 - *Abbracciare con compassione*

Tutti hanno bisogno d'amore e compassione. Anche le nostre emozioni. La causa di tutti i nostri problemi è la mancanza d'amore. Amore e compassione guariscono tutto. Provate a dare compassione alle vostre emozioni in questo modo.

1. Piegate la testa in avanti e posate la mano sull'addome o sul petto per aiutarvi a *sentire* l'emozione.
2. Sentite l'emozione nel corpo.
3. Misuratela su una scala da 0 a 10.
4. Riuscite ad abbracciarla con lo stesso amore e la stessa compassione con cui una madre o un padre abbraccerebbero un figlio sofferente?
5. Confortate la vostra emozione.
6. Sentite la sofferenza della vostra emozione.
7. Più le date compassione, più l'emozione si scioglie fino a scomparire del tutto.
8. Misuratela di nuovo sulla scala da 0 a 10. È diminuita? Se è così, siete sulla strada giusta. Continuate l'esercizio finché l'intensità dell'emozione scende a 0. Se non diminuisce, ripetete dall'inizio l'esercizio o provate un altro metodo.

Nota: questa serie di esercizi è stata fornita da Peter Michel. Per altre informazioni sul suo libro, che comprende oltre 50 metodi di purificazione: www.emotionalfreedom101.com

Bibliografia

Atkinson, William Walter, *Thought Vibration, or The Law of Attraction in the Thought World*, New Thought Publishing 1906.

Behrend, Genevieve, e Vitale, Joe, *How to Attain Your Desires by Letting Your Subconscious Mind Work for You*, Morgan-James Publishing 2004.

Behrend, Genevieve, e Vitale, Joe, *How to Attain Your Desires, Vol. 2: How to Live Life and Love It!*, Morgan-James Publishing 2005.

Braden, Gregg, *The Divine Matrix: Bridging Time, Space, Miracles, and Belief*, Hay House 2006 (ed. it. *La Matrix Divina, Un ponte tra tempo e spazio, miracoli e credenze*, Macro Edizioni 2007) .

Bristol, Claude, *The Magic of Believing*, Pocket Books 1991.

Byrne, Rhonda, *The Secret*, Atria Books/Beyond Words 2006 (ed. it. *The secret*, Macro Edizioni 2007).

Callahan, Roger, *Tapping the Healer Within: Using Thought-Field Therapy to Instantly Conquer Your Fears, Anxieties, and Emotional Distress*, Mc-Graw-Hill 2002.

Canfield, Jack, con Janet Switzer, *The Success Principles: How to Get from Where You Are to Where You Want to Be*, Harper Collins 2006.

Casey, Karen, *Change Your Mind and Your Life Will Follow*, Conari Press 2005.

Coates, Denise, *Feel It Real! The Magical Power of Emotions*, Denise Coates Publishers 2006.

Cornyn-Selby, Alyce, *What's Your Sabotage?*, Beynch Press 2000.

Deutschman, Alan, *Change or Die: The Three Keys to Change at work and in Life*, ReganBooks 2007.

Di Marsico, Bruce, *The Option Method: Unlock Your Happiness with Five*

Simple Questions, Dragonfly Press 2006.

Dwoskin, Hale, *The Sedona Method: Your Key to Lasting Happiness, Success, Peace and Emotional Well-Being*, Sedona Press 2003.

Eker, T. Harv, *Secrets of the Millionaire Mind: Mastering the Inner Game of Wealth*, Harper Collins 2005 (ed. it. *I segreti della mente milionaria. Conoscere a fondo il gioco interiore della ricchezza*, Gribaudi 2008).

Ellsworth, Paul, *Mind Magnet: How to Unify and Intensify Your Natural Faculties for Efficiency, Health and Success*, Elizabeth Towne Company 1924.

Evans, Mandy, *Travelling Free: How to Recover from the Past*, Yes You Can Press 2005.

Ford, Debbie, *The Dark Side of the Light Chasers*, RiverHead Books 1998.

Gage, Randy, *Why You're Dumb, Sick and Broke... and How to Get Smart, Healthy and Rich!*, John Wiley & Sons 2006.

Gilmore, Ehryck, *The Law of Attraction 101*, Eromlig Publishing 2006.

Goddard, Neville, *Immortal Man: A Compilation of Lectures*, DeVorss & Company, 1999.

Goddard, Neville, *The Law and the Promise*, DeVorss & Company 1984.

Goddard, Neville, *The Power of Awareness*, DeVorss & Company 1983.

Goddard, Neville, *Your Faith Is Your Fortune*, DeVorss & Company 1985.

Goddard, Neville e Vitale, Joe, *At Your Command*, Morgan-James Publishing 2005.

Goldberg, Bruce, *Karmic Capitalism: A Spiritual Approach to Financial Independence*, Publish America 2005.

Harris, Bill, *Thresholds of the Mind: Your Personal Roadmap to Success, Happiness, and Contentment*, Centerpoint Research 2002.

Hawkins, David, *Devotional Nonduality*, Veritas Publishing 2006.

Hawkins, David, *I: Reality and Subjectivity*, Veritas Publishing 2003.

Hawkins, David, *Transcending the Levels of Consciousness*, Veritas Publishing 2006.

Hicks, Jerry, e Hicks, Esther, *Ask and It Is Given: Learning to Manifest Your Desires*, Hay House 2004.

Hicks, Jerry, e Hicks, Esther, *The Law of Attraction: The Basics of the Teachings of Abraham*, Hay House 2006 (ed. it. *La legge dell'attrazione*, Tea 2008).

Hogan, Kevin, *The Science of Influence*, John Wiley & Sons 2004.

Holmes, Ernest, *Science of Mind*, Tarcher 1998.

Joyner, Mark, *Simpleology: The Simple Science of Getting What You Want*, Wiley & Sons 2007 (ed. it. *Semplice-mente. Il metodo pratico per ragionare in linea retta*, Rizzoli 2008).

Kaa, Sri Ram, *2012: You Have a Choice!*, TOSA Publishing 2006.

Kaufman, Barry Neil, *To Love Is to Be Happy With*, Fawcett 1985.

Kennedy, Dan, *No B.S. Wealth Attraction for Entrepreneurs*, Entrepreneur Press 2006.

Kristof, Aziz, *The Human Buddha: Enlightenment for the New Millennium*, Kristof 2006.

Landrum, Gene, *The Superman Syndrome: The Magic of Myth in the Pursuit of Power; The Positive Mental Moxie of Myth for Personal Growth*, iUniverse 2005.

Lapin, Rabbi Daniel, *Thou Shall Prosper: Ten Commandments for Making Money*, John Wiley & Sons 2002.

Larson, Christian D., *Your Forces and How to Use Them*, Fowler 1912.

Larson, Melody, *The Beginner's Guide to Abundance*, Booklocker.com 2007.

Levenson, Lester, *No Attachments, No Aversions: The Autobiography of a Master*, Lawrence Crane Enterprises 2003.

Levenson, Lester, *The Ultimate Truth about Love and Happiness: A Handbook for Life*, Lawrence Crane Enterprises 2003.

Lipton, Bruce, *The Biology of Belief Unleashing the Power of Consciousness, matter and miracles*, Mountain of Love 2005 (ed. it. *La biologia delle credenze. Come il pensiero influenza il DNA e ogni cellula*, Macro Edizioni 2006).

Losier, Michael, *Law of Attraction*, Losier Publications 2003.

McTaggart, Lynne, *The Intention Experiment: Using Your Thoughts to Change Your Life and the World*, Free Press 2007 (ed. it. *La scienza dell'intenzione - The intention experiment. Come usare il pensiero per cambiare la tua vita e il mondo*, Macro Edizioni 2008).

Oates, Robert, *Permanent Peace*, Institute of Science, Technology and Public Policy 2002.

Ponder, Catherine, *The Dynamic Laws of Prosperity*, DeVorss & Company 1985.

Proctor, Bob, *You Were Born Rich: Now You Can Discover and Develop Those Riches*, LifeSuccess Productions 1997.

Ray, James Arthur, *The Science of Success: How to Attract Prosperity and Create Harmonic Wealth through Proven Principles*, Sun Ark Press 1999.

Ressler, Peter, e Ressler, Monika Mitchell, *Spiritual Capitalism: How 9/11 Gave Us Nine Spiritual Lessons of Work and Business*, Chilmark Books 2007.

Ringer, Robert, *Looking Out for 1*, Fawcett 1985.

Ringer, Robert, *Winning Through Intimidation*, Fawcett 1984.

Scheinfeld, Robert, *Busting Loose from the Money Game: Mind-Blowing*

Strategies for Changing the Rules of a Game You Can't Win, John Wiley & Sons 2006.

Shumsky, Susan, *Miracle Prayer, Nine Steps to Creating Prayers that Get Results*, Celestial Arts 2006.

Sugarman, Joseph, *Triggers*, Delstar Publishing 1999.

Tipping, Colin, *Radical Forgiveness: Making Room for the Miracle*, Global 13 Publications 2002.

Tipping, Colin, *Radical Manifestation: The Fine Art of Creating the Life You Want*, Global 13 Publications 2006.

Vitale, Joe, *Adventures Within: Confessions of an inner world journalist*, AuthorHouse 2003.

Vitale, Joe, *The Attractor Factor: Five Easy Steps for Creating Wealth (or Anything Else) from the inside Out*, John Wiley & Sons 2005.

Vitale, Joe, *Buying Trances: A New Psychology of Sales and Marketing*, John Wiley & Sons 2007.

Vitale, Joe, *The Greatest Money-Making Secret in History*, 1st Books Library 2003.

Vitale, Joe, *Hypnotic Writing*, John Wiley & Sons 2007.

Vitale, Joe, *Life's Missing Instruction Manual: The Guidebook You Should Have Been Given at Birth*, John Wiley & Sons 2006.

Vitale, Joe, *The Seven Lost Secrets of Success*, John Wiley & Sons 2007.

Vitale, Joe, *There's a Customer Born Every Minute: P. T. Barnum's Amazing 10 "Rings of Power" for Creating Fame, Fortune, and a Business Empire Today-Guaranteed!*, John Wiley & Sons 2006.

Vitale, Joe, e Ihaleakala Hew Len, *Zero Limits: The Secret Hawaiian System for Wealth, Health, Peace, and More*, John Wiley & Sons 2007.

Vitale, Joe, and Hibbler, Bill, *Meet and Grow Rich*, John Wiley & Sons 2006.

Wattles, Wallace D., *How to Get What You Want*.

Wattles, Wallace D., *The Science of Getting Rick*, Penguin, Tarcher 2007 (ed. it. *La scienza del diventare ricchi*, Bis Edizioni 2008).

Wilber, Ken, *Quantum Questions: Mystical Writings of the World's Greatest Physicists*, Shambhala 2001.

Wojton, Djuna, *Karmic Healing: Clearing Past-Life Blocks to Present-Day Love, Health, and Happiness*, Crossing Press 2006.

L'Autore

Uno dei protagonisti del film *The Secret*, Joe Vitale è presidente di due società con sede ad Austin, Texas: Hypnotic Marketing e Frontier Nutritional Research.

È autore di numerosi libri, tra cui due bestseller editoriali: *The Attractor Factor*, *Life's Missing Instruction Manual* e uno in cassetta: *The Power of Outrageous Marketing*.

Altri suoi libri: *The E-Code*, *There's a Customer Born Every Minute*, *The Seven Lost Secrets of Success*, *Hypnotic Writing*, *Your Internet Cash Machine* e *Buying Trances*; ed è co-autore di *Meet and Grow Rich* e *Zero Limits*.

Dalla condizione di senza tetto e di totale povertà, Joe è passato a quella di pioniere del marketing in Internet. Ha aiutato molte persone a diventare milionarie e a creare imperi online.

Grazie al film *The Secret* e al successo di *The Attractor Factor* e *Zero Limits*, oggi è considerato un guru dell'auto-aiuto. Alcuni lo definiscono il 'Buddha di Internet'.

Il suo sito web è: www.mrfire.com.

Il segreto del successo non è l'ambiente. Altrimenti, tutti quelli che vivono entro un certo raggio avrebbero successo e la riuscita sarebbe solo questione di geografia. Vediamo invece che persone che vivono nello stesso ambiente rivelano gradi diversi di successo e di fallimento; quindi il segreto del successo è nell'individuo, non altrove.

— WALLACE D. WATTLES, AUTORE DI *HOW TO GET WHAT YOU WANT* E *THE SCIENCE OF GETTING RICH*

Joe Vitale
e Ihaleakala Hew Len

ZERO LIMITS

Lo straordinario sistema hawaiano per gioire di una vita meravigliosa in cui tutto è davvero possibile

Sei stressato per il troppo lavoro? Stai facendo del tuo meglio, ma ti accorgi che il successo professionale e la gratificazione personale sono difficili da ottenere? Se ritieni di mettercela tutta ma ti sembra di non andare da nessuna parte, forse il problema è dentro di te, non all'esterno. *Zero Limits* presenta un metodo collaudato ed efficace per uscire dalle limitazioni auto-imposte e per ottenere dalla vita più di quanto hai mai sognato. Adattato ai tempi moderni, *Ho'oponopono* è un sistema tramandato dalla tradizione hawaiana che purifica da convinzioni, pensieri e ricordi inconsciamente accettati che ti intrappolano e di cui non sei nemmeno consapevole. Uno strumento straordinario per ripulire la mente da ostacoli e blocchi subconsci che impediscono al destino e al desiderio di prendere il controllo e di aiutarti a trovare modi nuovi e inaspettati per raggiungere ciò che vuoi nella vita. Non solo funziona, ma fa meraviglie, sia nel lavoro che nella vita privata, e permette di sperimentare quotidianamente una pienezza e una felicità sorprendenti. Immagina di dimenticare tutti gli errori passati, di ricominciare di nuovo senza nozioni preconcette e di vivere in un mondo di costante meraviglia. Immagina cosa succederebbe se tutto fosse possibile. In effetti, tutto è davvero possibile quando guardi il mondo libero da costrizioni mentali. Questa è la chiave che aprirà la tua vita a un nuovo universo di possibilità e di risultati, un universo a limiti zero.

Edizioni Il Punto d'Incontro
Via Zamenhof 685, 36100 Vicenza, Tel. 0444 239189
www.edizionilpuntodincontro.it